XIN XIANG JI

黄旬 著

心香集

GUANGXI NORMAL UNIVERSITY PRESS
广西师范大学出版社
·桂林·

图书在版编目（CIP）数据

心香集 / 黄旬著. —桂林：广西师范大学出版社，
2011.1

ISBN 978-7-5495-0295-0

Ⅰ. 心… Ⅱ. 黄… Ⅲ. 文学—作品综合集—中
国—当代 Ⅳ. I217.2

中国版本图书馆 CIP 数据核字（2010）第 251329 号

广西师范大学出版社出版发行

（广西桂林市中华路 22 号 邮政编码：541001 ）
网址：http://www.bbtpress.com

出版人：何林夏
全国新华书店经销
广西民族语文印刷厂印刷
（广西南宁市望州路 251 号 邮政编码：530001)
开本：890 mm × 1 240 mm 1/32
印张：9 字数：200 千字
2011 年 1 月第 1 版 2011 年 1 月第 1 次印刷
印数：0 001~1 000 册 定价：25.00 元

如发现印装质量问题，影响阅读，请与印刷厂联系调换。

一岁的我与父母

幼时的姊妹俩与外婆、父母和二姨

我们一家（摄于一九六六年）

亲人中的长辈
（前排右一姨爹，右二大舅，右五母亲，右六二孃，后排左一小舅）

春节家宴（左二三姑妈，左三二姑妈）

表姊妹和晚辈们
（正中三人左起依次为小兵壤、作者、雪壤）

水城威尼斯的圣马可广场（左为市政厅，右为教堂）

意大利比萨斜塔建筑群

再版序

　　《心香集》的编写原本是自娱自乐之事，集内的诗文是写给自己看的。五年前退休时编辑起这些小文，也只是为给自己曾经的一段生命旅程留个纪念。然五年后，却有广西师范大学出版社汤文辉先生抬爱，愿将这一不成样的小书编辑出版。虽颇有些诚惶诚恐，怕自己的拙文误了当下人们比金钱更宝贵的时光。但由于儿子李里的缘故，不少人想知道更多关于他的一些事，还有的也望通过他的成长来寻一条教育子女之路。其实文中这一部分内容并不多，不知我和我家人们的闲笔能否给大家一点可取之处。我深知李里的成长只是个例，或许完全不能成范。但汤先生的厚爱和亲友之鼓励，使我终于放下种种顾虑，重新辑起了这本书。为使内容更为集中，原书中旅欧游记辑入删节后的部分，而国内游和父亲的遗作部分不再辑入，另对一些小地方作了细微修改，对错别字作了勘误，同时新增了自己近年的少许涂鸦之作。更主要的是加上了里儿《旅途记游》的序跋和亲人们有关他的一些通信。这些文章虽绝大部分不是我所作，却能满足人们了解关于李里成长情况的些许愿望。在征得汤先生同意后，辑成了现在这本书。

　　但愿阅读此书的人们不会认为因此而浪费了时间，更或者读后能有哪怕一点点共鸣，那么我的心就十分的满足并深深地感谢这些宽厚的读者了。

黄旬 2010 年春于川师东园

自 序

  2003 年底，余有幸参加国务院小城镇改革发展中心组织之赴欧考察团，浮光掠影观过欧洲八国。其间每日挤时书写，汇成《旅欧廿日印象记》。今年 5 月，为母亲八十寿辰，众亲人来渝，谈及欧洲印象，姨父顾刃建议将所记送每家一册。之前余一直整理打印，只因工作及他务所累，速度较慢。亲人之期盼，使余动力倍增，至十月告罄。其间又生出将近两年国内游所记一并印出，并再生集结余多年来忙里偷闲信笔涂鸦之偶感随笔为一册以作己退休纪念之念。于是便日思夜写，打印旧作，修改前文，并新拟《怀念父亲》一文。此文乃家父逝后之夙愿，因心痛不愿触及而久未提笔。此次有集文初衷，又有吾儿电话遥相切磋激励，心愿终了。因写父亲，又思将家人们为之整理的《南楼诗稿》集于一册，使众亲人既可同阅两代人之作品，又能体会一家之文化传承，岂不一举两得？于是有了这父女诗文合成之书集。

  书成之时，何以命名？思余深爱梅花"零落成泥碾作尘，只有香如故"之高洁，而集中各文皆言出心声，故命此集为"心香集"。

旬儿于 2004 年岁末蜡梅飘香之时

代序（二姨和姨爹的信）

　　谢谢你让我们读到了这本父女合著的《心香集》。因为这是你的夙愿，也是我们的久盼心愿。

　　我们是你二嬢春节来临之际第四次住院前收到这本书的。有幸《心香集》伴随着病房中的我们，沉闷清凉的病室也才时有欢声笑语。

　　喜欢这本集子，装帧雅致，内容丰盛，似还散发出墨迹未干的淡淡香气。而篇篇文章也盈满一种甜甜的亲情。亲情正是《心香集》的主题和灵魂。它是可亲的，可贵的，感人的。"天意怜幽草，人间重晚晴！"

　　读着《怀念父亲》、《我的外婆》，心灵震撼，魂牵梦萦，荡气回肠。"母亲和黄大哥走后，留下了太多的遗憾！他们一生辛劳，没有过几天开心的日子。晚年遭受家庭不幸，疾病折磨，回忆起来，止不住心酸流泪。特别是母亲，不仅饱受病痛的折磨，还带着难以忍受的屈辱含冤而去，我们却无能为力。临走前连自己的儿女都不能见上一面，心中的悲恸可想而知！……"二嬢反复激愤地作如是说。

　　你以女性独特的细腻与敏锐，于平淡的日常家庭琐事中，在前一篇里树起一个正直、真诚、宽容的老一辈知识分子和父亲的形象；在后一篇里，勾画出一位身处特殊的历史时期而"刚强自尊"的母亲侧影。

　　母亲和黄大哥的一生也给我们留下了"生之悲凉，爱之艰苦"（张爱玲语）的深深印痕。"是的，脆弱的生命随时可以消失，一切都可能转瞬即空，归于破灭，唯有死者的灵魂和生者的情感是永远的存在。"章诒和女士《往事并非如烟》里的切切感言道出我们千万人的心声。

《南楼诗稿》——黄大哥的遗作，数不多，尤珍惜。也许多系晚年病中之作。说真的，总觉写得悲凉凄苦，我们常感不忍一读，常是黯然掩卷，恍若在与黄大哥促膝谈心，互诉互慰。

这组诗，有对生命的强烈渴望："人们何必抛弃去天堂/如此美景在人间"（《秋阳》）；有对病痛的凄苦与无奈："无言独坐南楼/灯如豆/寂寞梧桐锁清秋"（《病愁》）；有对健康快乐生活的追求："人与自然结合/长寿长寿长寿/静夜雨声相伴/与我同乐享受"（《秋雨》）。呼声催人泪下，但启示活着的亲人们珍惜今天，热爱生活。

也许是我们同黄大哥、大姐共同度过那段难忘的快乐时光，我们比较喜欢《乐山峨眉游四首》。"雨后新晴小径游，无愁无虑度春秋。寂寞校园无纷扰，仅有小鸟叫枝头。"这首七言绝句恰似一幅宁静恬美的花鸟画，一位悠然自得的老者呼之欲出。

好了，你还关注着我们对"游记"的读后感哩。

《旅欧廿日印象记》，在随团如此繁忙紧张又被动的安排情况下，能逐日记下这组日记，已经是值得称道的了，再有其他就似乎显得奢求苛求了吧。这组"游记"虽是"印象"，却写得那么细致，那么认真，那么井然有序，增长我们不少难得的异国见闻。特别是对雕塑、建筑艺术的描述，可谓扬你之长，细致、翔实、生动。我们想，如果重点描述一些主要景点，多写些常人不知的，报刊少介绍的，割爱一些日常必有的生活细节，或可更能增添"游"的色彩。如果不拘泥于力求保持原始记录，而事后做些剪裁、润色、考证，或可能锦上添花了。

国内游记，如果去掉"游"字，也会恰如其分。

我们可以说读得很认真，以不负你的真情意。这组游记（包括其他一些部分）甚至读了两遍。在主要景点上还画红线。因此，还知道你在哪些景点拍了照，共有一百三四十张吧，买了几瓶法国香水，甚至德国血压计、瑞士小刀之类。其实记一点有特殊意义的几处即可，可省许多笔墨。

写这些只是我们读后的随想而已。想来你并不想听我们刻意雕琢的赞语、评语，而只是想听听我们鲜活随意的回音回响吧，那么我们可以如释重负了。

如果，有的算是"评语"，也只是实话实说，仅供参考而已。

姨爹顾刃、二姨应荷

2005 年 3 月 21 日春分后两天匆就于乐山家中

目 录

诗　词

散文

怀念父亲

　　一九九八年十月十七日下午两点五十分,我亲爱的父亲在病卧床榻近半年后,怀着对生的强烈渴望,怀着对亲人的无限眷恋,溘然长逝,享年七十七岁。

　　父亲的去世,让我长时间地陷入难以自拔的悲痛中。"世上最疼爱我的人去了"这个念头强烈地攘住我,只觉得有一把无形的刀在剜我的心,让我的心流血,眼中的泪也总是情不自禁地往外流。那段时间,脑海中不时浮现出每次回家看望父亲后要离去时,衰老的父亲在病床上慈爱地挥着手、依依不舍地目送我们离开的情景;耳边也常常响起父亲临终前为了不让我离开他而不要我去为他请医生时拼尽全力从身体里迸出的最后那个字"不"! 我不断地自责:为什么在父亲最后的日子里自己还按部就班地上下班而不是一直陪伴在他身边? 为什么在父亲临终的那天早晨我还要忙着修改一篇悼念父亲好友白叔的诗稿而未能及时赶到父亲身边,以致我们赶去时他的双眼已无法再看见他最心爱的女儿和外孙? 啊,亲爱的父亲,请原谅女儿的不孝。虽然是无情的病魔夺去了您的生命,但女儿没有倾其所有尽全力拯救您,对您的照顾和关心也没有能做到最好,否则以您对生的执著渴望,您一定不会走得这么快,现在您一定还在关心着您念念不忘的青少年教育事业,也一定还和我们在一起尽享天伦之乐吧！然而如今女儿只有深藏起自责与追悔，把那并非如烟的往事用笔写出，以寄托对您无尽的思念了……

与亲爱的父亲

父亲的慈爱是他留给我童年记忆的全部

人们常说严父慈母，而在我童年的记忆里留下更多的是父亲的慈爱。那时父亲在公安局工作，很忙，很少和我们在一起。但父亲对我们爱的片段却经常像电影中的蒙太奇镜头一样，一幕幕叠印在脑海里。

记忆中，在我们小时候，父亲一有空就会为我和妹妹梳理发辫。五六岁时，我们在一个幼儿园全托。那时我们经常会因为头绳不牢而散乱着头发。为这事幼儿园的阿姨多次责骂我们姐妹俩。那次周末父亲来接我们，一位姓颜的阿姨为此教训了父亲。我记得当时父亲呵呵地笑着,说下次来一定弄好。回家后,父亲不知从哪里找来了红、黄、蓝三种颜色的细绳子,然后仔细地把三根绳子编在一起,不一会就绞成一根很好看的彩色头绳,然后亲自给我们扎在小辫上。看着那根好看的头绳我好喜欢,幼儿园阿姨因此还表扬了我们,为此我整整高兴了一个星期。

父亲对我和妹妹的教育也从来是轻言细语,说理为主。但有两件事父亲却破了例。一次是我上小学后的一个晚上。那天放学后我未按时回家。当我回家时已接近晚上十点。平日比我晚到家的父亲早已坐在家里。还未待我进门,父亲一下子站到门口一掌把我推到地上。他厉声责问我为什么这么晚才回家,我委屈地告诉他我在解放碑看节目表演。听完我的解释,父亲的气慢慢消了,他心痛地把我拉起来,又耐心地给我讲父母的担心,讲小孩要按时回家的道理。这是我记忆中父亲唯一一次对我动手。还有一次,妹妹做错了事坚持不认错,父亲情急之下打了她一耳光。那天晚上,已经睡着的我忽然被父母的轻声谈话惊醒。只听到父亲在对母亲说:"我好后悔打了莺儿一耳光。现在我的手还有点疼,可能打重了,孩子怎么受得了。"父亲的声音里充满了后悔和自责,让幼年的我似乎也感觉到了他的难过。当我也身为人母后,父亲对我们教育中的这两次例外,更让我体会到他对女儿的无比慈爱。

许是因为我的懂事或是妹妹的任性,姊妹俩中父亲最爱我。我与父亲单独在一起的时间最多,父亲给我的爱也最多。七岁时,我开始上小学。当我欢天喜地地到学校报名领了各种书籍回到家中,父亲慈祥地把我拉到书桌边,亲手用报纸给我包好每本书,还在书上用毛笔写下"语文"、"算术"等科目名称以及我的名字。父亲写我名字中的"旬"字时,总是把"日"字写在"勹"的外面,我觉得这样写很好看,后来也一直学着这样写。父亲还耐心地教育我要尊敬老师,团结同学,努力学习。后来从小学到中学我一直是学校里的好学生,我想这与父亲的启蒙教育是分不开的。八岁时我母亲因工作到了成都,妹妹全托在幼儿园,家里只有我与在公安局任文化教员的父亲。我在公安局食堂吃饭,在文化校玩耍。冬天的早上,父亲让我洗冷水脸,说这样能预防感冒。当我把小手伸到冰凉的水里,又冻得直往回缩时,父亲总是呵呵地笑着鼓励我,说习惯了就好了。从那时起,洗冷水脸的习惯我一直坚持到如今。然后父亲一定要叫我和他一起慢跑着到一站路之外的食堂吃早饭。晚上吃完饭父亲还要工作,他总是叫我先回家。年幼的我贪玩,常常要在文化校和其他小伙伴玩很久。经常是听到父亲他们快要结束工作了,我才赶紧往家里跑。从文化校所在的位置到我家要经过一条大巷,还要爬一大坡石梯。那时路灯很暗,相隔不远也看不清人。我常常会在石梯的上面听到身后父亲那熟悉而又重重的脚步声——因为他总是要从文化校带一瓶开水回家。我跑在父亲前面,匆匆地爬上三楼,把脚伸到大脚盆里涮涮,然后跳到床上,刚睡下,父亲就到家了。这时我就躲在被窝里偷偷地笑,每次父亲都未察觉。后来我和父亲同在一个铁矿工作时,一天晚上父女俩在一起拉起了家常。在父亲狭长的小屋里,关了灯,我睡在与父亲的床排成一线的小床上与父亲摆了很久。当谈到这一段往事时,父亲忍不住笑着说:"我一直以为你是个乖娃娃,原来你还有这段历史啊。"当时虽然看不见父亲的脸,但父亲的爱却从他朗朗的笑声中传过来,甜甜地沁入心田。时隔多年,只要想到这一幕,我心中就会感觉到无限温暖。

我与父亲(旬儿画)

自然灾害那年,一向脾气很好的父亲因为我而向外婆大发了一次火。那时因为肚子饿,我常偷偷从锅里舀吃外婆煮好后留待下顿吃的稀饭,或者偷吃外婆放在米缸里的糖果。父亲听说后认为外婆偏心,只顾妹妹而不给我吃饱,很生气。为此他摔茶缸,甚至吵了外婆,后来又把我一人领到五一路上一家"高级"餐厅,花几十块钱吃了一顿晚饭。在人人每月只有三四十元钱工资的当年,这几十块钱对于一生节俭的父亲应该不是一个小数字。那晚的饭菜是什么早已记不清楚了,而父亲给我的爱却深深地永远地留在了我心底。一九六一年,父亲调到离家乡很远的一个矿山子弟校当教师。我很想念父亲,便在小学毕业那年暑假一人到父亲那儿去玩。父亲见到我真是高兴啊。他带我到处看山里如画的风景,让我认识学校各位老师,还领着我看他自己种的一小片红苕地,教我挖土,教我施肥。这次与父亲在一起的一件事让懂事后的我一直对父亲心怀歉疚。那是从矿山回家坐火车的途中,火车停在一个小站上。父亲下车去买了几个粗粗的梨子,他笑着让我吃,我嫌未削皮,不愿吃。因为没有刀,父亲把梨擦了擦,一口一口地咬下皮子再递给我。看着父亲站在车窗下高高伸出的手里像被狗啃了一样难看的梨,我撅着嘴依然不肯吃。父亲昂着头宽容地笑着说"女儿还嫌爸爸啊",然后自己甜甜地把那个梨子吃了下去。如今每当我回想到这一幕,就会为自己年幼时的不懂事而深感懊悔。

　父亲爱我,我也深爱父亲,父女间的感情日久弥深。父亲每年寒暑假回家探亲共两次,我就每年两次到火车站送父亲。火车清晨五点多发车,我和父亲很早就起来,从家里步行三站路再乘缆车下到火车站。此时天还很黑,街上人很少,头班车也刚开始发车,城市的清晨一切都还在静谧中。我和父亲并肩在马路中央疾步走着,谈话很少,那单调的橐橐的脚步声似乎在把彼此间的牵挂和关爱深深地传递给对方。到了车站,我和父亲一同排队候车。每次我都要看着父亲走进车站直至看不到他身影后才独自离去。其中一次父亲的背影是那么深地打动了我,让我多少年后想起仍会热泪盈眶。那是一个冬天的早晨,顶着刺骨的寒风,我和父亲早早到了车站。那时的火车站很小,人不如现在多,也没现在喧闹,却显得拥挤陈旧。每个检票口都排着长长的队伍,我和父亲像往常一样排在队伍的后面。开始检票了,我退出队伍外,看着头戴蓝色解放帽,身穿已经洗得有些发白的蓝色中山服,一只手拿着火车票,一只手提着一个装得满满的藤编旧提包的父亲,微微佝偻着高高瘦瘦的身躯,在昏暗的灯光下,步履缓重地从站外走向检票口,然后渐渐地、渐渐地远去。此时父亲的背影在我的眼里显得那么孤独,那么无助,甚至有些苍老。就在那一刹那,十多岁的我忽然从父亲的背影中读出他所承载着的难以言说的重负,泪水倏地夺眶而出,无声地顺着脸颊流下。从此父亲那孤独无助的背影就定格在我的脑海里,令我经久难忘,直至多年后一家人团聚,这个背影才渐渐褪去。

父亲最突出的习惯是简朴节约,最美好的品质是豁达宽容

父亲是一个十分简朴节约的人。为了节约一分钱,多少年来他每天都坚持从几里路外提一瓶开水回家;为了节约,他的早餐长期在饭堂里吃一分钱的咸菜。他在古旧书店买降价书,在旧货店里买旧衣服穿。就连他最疼爱的孙子我也只见到他给过一次二十元的压岁钱,这还是在经济已好起来的九十年代。在我的印象中父亲长得帅,也爱整洁和漂亮,但他满足自己这微小的心理需求的方式,只是外出逛商店时在经过的一面面大镜子前长时间停留——理理头发,整整衣服,仔细地看看自己端正的容貌,最后在家人的催促下离去。而那些时髦的服装、高档的用品从来与他无缘。九十年代前我家的家具大都是父亲从旧家具店里买来,其中两样跟随我家几十年。记得那还是五十年代初,当时公安局实行供给制,父亲每月只有五毛零花钱,家里的开销全靠母亲教书的收入。当时我家除了床铺和餐桌,几乎没有任何家具。有一次父亲从外面回来,买回一把可以转动的大皮椅和两张深红色的小圆凳,说是买的旧货。那时我只有四五岁,只觉得转椅很好玩,两张小凳很漂亮,自己很喜欢,全然不知这是父亲用多少个月的积蓄换来的。后来虽几经搬家,这几样家具一直跟随着我们。那把大转椅修了又修,原来中间可以转动的轴坏了,皮垫也烂了,父亲请木匠给椅子换了四根木腿,将原来皮垫的地方钉上竹条继续坐,直到九十年代搬家时嫌它太笨重才没有再要。两张小圆凳虽已很破旧了,但修了又修还在我家。现在每每看到这两张小圆凳就会让我想到我节俭一生的父亲。

父亲不仅自己节约,对我们姐妹俩他也经常进行艰苦朴素的教育。有一个故事,父亲反复给我们讲过很多次。那是小时候吃饭时,父亲经常在我们不注意扒干净碗里的饭粒时讲到原来他工作的派出所有一位从部队转业来的指导员,经历过艰苦的战争年代,每次吃饭他总要把碗里所有的饭菜吃得一点不剩。如果不小心掉了一粒饭在地,他会马上弯腰拾起来放到嘴里。这个故事给我印象极深,记得当时我还问过"这样脏不脏"之类的问题。那时父亲便会随口背诵出"锄禾日当午,汗滴禾下土,谁知盘中餐,粒粒皆辛苦"的诗句,告诉我们农民种出粮食的辛苦。后来我到了父亲所在的矿山工作。年轻的女孩子都爱美,二十来岁的我也同样喜欢穿漂亮的衣服,希望自己引人注目。这时父亲就会告诫我在矿山要向矿工的子女学习,衣着要朴素大方,不要把自己搞得和工人们格格不入。父亲在教育我时总是轻言细语,和蔼可亲。那时父亲教书的学校在山顶上,我工作的车间在半山腰。父亲每次下山办事后回校,都要绕道到我的宿舍来看我。然后我提着父亲的藤编提包送他上山。在弯弯的山道上,我和父亲并肩慢慢走着。父亲亲切地询问我最近一段时间的工作学习和生活情况,给我讲矿山工人的林林总总,告诉我在这里工作应该注意的点点滴滴,讲得最多的还是要求我工作后仍然要保持艰苦朴素、勤俭节约的生活作风。

父亲又是一个善良朴实、豁达宽容的人。他看人看事总是从大处着眼,很少拘泥于一般人很在乎的与个人利益相关的细枝末节。在这一生中,我从未听到过他记恨谁。他的同事朋友,邻居中的大人小孩,父亲给他们的印象都是谦和儒雅、与人为善。只要提到父亲,大家都会异口同声地说他是一个好人。父亲不如一些人睿智也没那么深刻,正由于此,使得他总是善良地看待世间的一切人和事,甚至连防人之心也少有。别人怎么看他,他不在乎,他自己却从不在背后贬损任何人。他当年在四川遂宁师范学校读书时与同学们一起闹学潮,当游行的学生都在校方的高压下四处躲避时,父亲却一片纯良地迎着他们的训育官走去,最后被训育官列进黑名单而被关进国民党集中营达一年之久。父亲还很谦逊豁达,有一种农民般的朴实。不少知识分子骨子里都自视很高甚至有自恋情结,而父亲却没有这些毛病。听母亲说父亲年轻时吹拉弹唱、打球绘画,算得一个有才华的人。但父亲从未在我们面前提起这些。在女儿的眼里,父亲忠厚、老实,谨慎得甚至有些胆小怕事。小时候我们甚至不明白漂亮而有才华的母亲怎么会嫁给他。正因为此,在家里我们母女仨经常在发现父亲读错别字时、在父亲不知道我们爱读的文学作品时一起攻击父亲,父亲从来是一笑了之。记得五十年代后期提倡说普通话,父亲是语文教员,经常在家里练习。本来乡音难改的他这时总会发出一些十分可笑的音调。自认为比父亲发音准确的母亲和我就会毫不留情地嘲笑他,而父亲总是呵呵一笑。我母亲写得一手十分娟秀流利的钢笔字,孩提时代我就多少次听到叔叔阿姨们对母亲的赞誉。在母亲的光环下,父亲本来工整大气写得不错的字在我们稚嫩的眼里失去了应有的光彩。特别是读初中那段时期,自己稍练了两天字,自以为有了进步,就经常和妹妹一起笑说全家人的字中父亲的字最差。听到我们的批评,父亲依然是呵呵一笑,并不与我们理论。后来当我成年后真正能够评判字的好坏时,才发现自己初中时的字比起父亲来真可以说是不能望其项背。当时如果我处在父亲的位置一定会极力为自己争辩吧,而如父亲那样毫不彰显自己,恐怕是很多人都难以做到的。事实上当我逐渐能够比较全面和准确地认识父亲时,我才更感到父亲的豁达大度是多么难能可贵。

父亲的宽容也表现在与母亲和邻人的相处中。我母亲年轻时很有个性也比较急躁。她和父亲常常会为一些生活琐事发生口角。在我的印象里每一次几乎都是母亲气冲冲地离开家,父亲把她找回来,又和颜悦色地赔不是,幼年的记忆里每次争吵几乎都是以母亲的胜利而告终。退休后,母亲每年要外出旅游或到友人家住上一段时间,这时父亲的身体已不是很好,常常会因肺气肿病倒在床上。每次他生病后会更加思念母亲,我就要他打电话催母亲回来。而只要不是病得很重,他总是说:"你妈妈喜欢旅游,喜欢和朋友玩,让她多玩一段时间。"我们的邻居家中有一个和我们相差不到几岁的男孩,这男孩最喜欢到我家玩。他没大没小地和我父亲开玩笑,拍父亲的肩膀,称他为老黄,甚至和父亲疯打,我父亲从不生他的气,经常是两人的一阵玩笑惹得院里的大人小孩都笑个不停。有一次,这男孩的父亲从工作的派出所里带回一副手铐。这个不懂事的男孩把手铐拿到我家又和父亲开玩笑,不知怎的就把手铐胡乱地套在了父亲手腕上。当时大家都急了,一阵忙乱,手铐却越铐越紧,怎么也取不下来。这下院里的大人们都开始责骂这个男孩。我父亲这时虽被手铐铐得挤眉蹙眼,却好言好语地让小男孩到派出所找他父亲拿来钥匙。当手铐取下后,母亲嗔怪父亲没老没少,让小孩乱开玩笑。而父亲又是呵呵一笑,毫不生气。父亲去世时,这个已经人到中年的当年小男孩赶到我家,提起往事禁不住热泪长流,哽咽难禁。

我们在父亲的墓碑上刻下了"金华读书人黄晋诚之墓"十个大字

父亲爱祖国,爱家乡,爱生活,爱亲人,爱学生,是一个充满爱心的人。我的儿子十分热爱他的外公并对外公的精神有着深刻认识。他说:"齐白石老人的名言:'由于爱我的家乡,爱我祖国美丽富饶的山河大地,爱大地上一切活生生的生命,因而花了我的毕生精力,将一个普通中国人的感情画在画里、写在诗里。'这段话十分朴实而集中地反映了一个普通中国人的情怀,而我外公就有这样的情怀,他的许多品质和白石老人很相似。"

儿子这番话是十分公允的。父亲身上集中了中国普通人尤其是耕读传家的人们的不少优秀品质。在我的印象中,只要父亲在家,每天早上起来的第一件事就是"洒扫庭除"。屋里院外他都要打扫得干干净净,然后就站在小院里做一套自编的体操。他的动作不到家,有的甚至还显得可笑,但这种锻炼却一直坚持到老。做完操,父亲和母亲还会一同开始朗读古诗词,那时他会像旧时的文人一样发出一种歌唱式的音调,并会长时间地沉浸在古诗词的韵味里。在一天中余下的其他时间里,父亲更多的是看书读报,家中的书柜里至今仍存列着不少题有"晋诚购于渝,某年某月"字样的各种书籍。父亲的这些生活习惯耳濡目染地传给了他的后代,使我和我的儿子都得益匪浅。父亲对儿孙们也一直坚持着典型的中国儒家传统式教育。他认为后代是否成才主要看他们品德的优劣而不是分数的高低。因此当我们因儿子考试分数不高对他进行批评时,父亲会在一旁以"只要我的孙儿品德好,能成为对国家有用的人就行"而对孙子进行鼓励。他对我们的教育也是要爱祖国、爱家乡,做人要诚实正直、勤劳朴实,待人要宽容礼让,学习要踏实努力,工作要吃苦耐劳。即便到了二十世纪九十年代,人们的许多观念都在发生变化,我也身为一个单位的领导之时,他仍经常教育我们要守得住气节,耐得住清贫,要对得起国家和人民。不仅对自己的子女,对我的同学朋友他也会不厌其烦地进行这种教育。只要他们到我家玩,父亲就会坐拢来亲切地给这些年轻人讲做人做事的道理。我青少年时代的同学朋友几乎没有谁没听过我父亲的教育的。于是只要到我家来,他们就会开玩笑地说又要去听黄伯伯的"向上论"了。

父亲一生十分关心青少年教育事业。他学的是师范,一生中大部分时间也是从事教育工作,退休后又担任了《青少年与法》杂志的编辑,可以说他与青少年教育结下了不解之缘。担任学校老师时,他关心学生、热爱学生。特别是对矿山的矿工子女们,更是倾注了大量心血。我虽然没有亲眼见过父亲的课堂教育,但他与学生的一段相处却给我留下了深刻印象。那大约是一九六六年的寒假,父亲任铁矿中学初中毕业班的班主任。他把班里三十多个从未出过大山、从未到过大城市的学生一起带到了重庆,亲自给他们联系了一处价格便宜但基本能住宿的旅馆。学生们住下后,他又领着他们游市中心、参观红岩村,让他们接受革命传统教育,还让他们到我家玩,让我亲眼看到了这些山里的孩子来到大城市时的喜悦。后来父亲又把我带到那个小旅馆,介绍我与他的学生们认识。在那个小旅馆里父亲的学生们围着他亲热地摆谈着,从他们的眼里我看到了他们对这位老师发自内心的尊敬与爱戴。离开矿山多少年后,这些矿山的学生还和父亲保持着联系,直到他去世,还有一些同学赶到家中吊唁。晚年退休后,父亲还继续发挥余热,担任了《青少年与法》杂志的编辑。这时他已视挽救违法青少年为己任,全身心扑在这项工作上。虽然已七十多岁高龄,父亲仍学习不辍,不断阅读各种书籍,开阔视野,提高境界。他还主动向孙儿及他的同学们了解青少年思想状况,以使《青少年与法》杂志更加贴近青少年。那期间,我经常看到年老体弱的父亲戴着老花眼镜,坐在书桌旁认真阅读修改稿件,热情地给作者读者回信。那时候他已觉得体力不支,到了下午就头昏,却仍一直坚持工作。在他去世的前一年,他对违法青少年教育的认识上升到一个新的高度,于是利用休息时间收集中国历代有关青少年教育的一些诗篇并集结成集,建议杂志社陆续登出,以达到用祖国传统文化、用高尚品格教育青少年、陶冶青少年情操的目的。

父亲终身热爱着祖国。他十分关心国家的前途和命运,经常和家人一起谈论国家大事;他时刻盼望着祖国的统一,用诗歌写下了自己的心声。一九九七年香港回归时他欣然写下《香港回归颂》:

建康迫约百年恨,炮火硝烟忆犹新。

香港回归传喜讯,中华崛起舞阳春。

举国民众齐祝庆,海外赤子共欢腾。

迎春高唱回归颂,借寓终身爱国情。

抒发了他对香港回归祖国的喜悦之情。病床上,在他已病得不能起身时,还仿照陆游的《示儿》诗写了一首《示儿孙》诗,其中两句是"死去原知万事空,但悲不见华夏同",抒发了他对祖国完全统一的热切期盼。

父亲对生他养他的故乡也有着深深的眷恋和热爱之情。从二十来岁离开家乡后直至二十世纪六十年代,因为没有条件,他从未回过故乡,但他的心从未断却对家乡的思念。那时他经常极富诗意地和我们谈起故乡射洪,告诉我们那里盛产雪白的棉花和美丽的涪江,还有唐代著名诗人陈子昂的读书台,等等。六十年代后,家里条件稍好一点,父亲立即托人辗转带信与家乡的亲人取得了联系,这以后他就经常利用假期回老家去看望他的亲人们。后来父亲还多次带我们和孙子回到他的故乡,培养后代们对家乡的感情。老年后父亲回乡次数更多,本来他打算在完全不工作时再回老家一趟,再看看他终身热爱的故土,再为已故去多年的父母扫墓上坟。但是还未等退下来他就病倒了,再回家乡的愿望终于未能实现。这时他催着把他唯一的妹妹——我的姑母接来,满含热泪地与她再次谈家乡、谈亲人,并写下怀念故乡、留恋童年的感怀长诗:"咫尺天涯兄妹隔,胸中郁结多年愁。而今有幸来聚首,思绪万千话春秋。……"

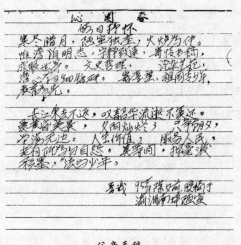

父亲手稿

父亲又是一个十分重亲情的人。我的姑母从小就抱给人家当童养媳,没有文化,土头土脑,当年的她在城里人眼中可以说是土得掉渣。但父亲刚与故乡取得联系,便写信接姑母来重庆玩,并坦然地把姑母介绍给院里的邻居认识,一点不因为有这样的妹妹而感到难为情,这以后姑母成了我家的常客。对姑母的几个孩子,父亲也像自己的子女一样关心,经常给他们去信,教给他们做人的道理,我的表兄妹们对舅舅有着十分深厚的感情。父亲曾多次给我们讲他的母亲在他五岁时就去世了,他是在众多亲人的关爱和拉扯下长大的,又在亲人们的帮助下读完了师范,成为一个有文化的人。他对他的大伯、幺叔、姑姑、婶婶们满怀感激之情,每一次回老家,都要买上礼物挨家去看望这些亲人及他们的后代。在他老年时,他第一次满怀愧疚之情地与我和我儿子谈到了他的父亲,我也在这时第一次看到父亲流泪。那时他坐在我家沙发靠墙的角落上,深情地讲起了我的爷爷。他说自己读完师范后来到重庆,那时我爷爷靠在嘉陵江上给人家拉船维持生活。一次爷爷帮工的船经合川来到重庆,托人带信给他。他见到爷爷时,发现爷爷有病而且很衰老了,虽然生活很苦,还给儿子带来一双皮鞋。父亲说着说着便哭了起来。那时他坐在角落里,蜷缩着本已十分瘦削的身躯,用手捂着脸,像要极力把自己躲到看不见的阴影里,以掩饰心中的忏悔和悲哀。他的肩微微耸动着,泪水顺着指缝慢慢流下。他一边擦泪一边责备自己,说自己那时没有能力留父亲在重庆,也没有能力给父亲治病,只能任老病的父亲独自离去。他声音喑哑而低沉地说:"回去后不久父亲便去世了,从此我再也未见到我的父亲。"这时老父亲那深埋心底的哀痛与对爷爷的思念和着泪水缓缓流出,是那么强烈地震动了我,既令我心酸又令我感动。在父亲离去后的日子里我愈加深刻地体会到了父亲当年的追悔和哀痛。

父亲对家人的爱更是那么浓烈,那么赤诚。妻子、女儿、孙子是他的最爱,在世时他最高兴的事就是全家团聚。只要知道我们要回去,他就会早早地做上好吃的,在家殷殷地盼着我们。而我们离开时他一定要和母亲一同送到车站,并站在车站对面的公路上目送着我们乘坐的公交车远去。现在父亲虽然已离开我们六年了,但只要走到那个车站,我的脑海里立刻会浮现出父母一道送我们的情景,也更加滋生出我对父亲的深切怀念。父亲一生都有坐茶馆喝茶聊天的习惯。他把和老伴、儿孙们一起坐茶馆喝茶聊天视为人生最大的幸福。这样的时候，哪怕是喝一杯清茶、吃一碗小面也会让父亲十分满足。重庆城里许多公园茶馆都留下我们全家人的足迹。我们去得最多的是市中心的人民公园茶馆。每次一家人坐在那里，父亲的脸上就会露出慈祥、和蔼的微笑。他总是亲切地问我们的学习、工作、生活，总是提起一个个我们大家都熟悉的人物。年轻的时候我不太愿父亲过问这些，有时甚至对父亲的提问很不耐烦。稍年长些，才深深体会到父亲其实是在用这种方式，用我们共同熟悉的话题来增进与子女的沟通，来表达对晚辈的关爱，年轻时的我是多么不懂事啊！父亲去世后的第二年，中央电视台春节联欢会上，一曲《常回家看看》中"爸爸准备了一桌好饭"的歌唱令我顿时泪流满面，自责与思念一起涌上心头。这时我多想还能再回到与父亲一起喝茶聊天的时光啊，然而这愿望是永远不可能实现了。这使我更加忆起了父亲离开人世那天做出的一个令人难忘的举动。这是事后母亲告诉我们的。那天清晨，已预感到自己就要离开人世的父亲把母亲叫到床前，拿出他在病床上最后写的一首诗：

青天高，秋阳照

云儿渺，风儿飘

我和同学去逍遥，前面红旗飘

蒙师后面育新苗

青天高高，太阳照照

应萱（母亲名）唱，我和好

好似送师楼前第一遭

五十载伴侣乐陶陶

八十光阴瞬间过

人生如同梦一道

但愿婵娟久，与此共终朝

他把这首生命的绝唱给母亲看，要母亲与他同唱他俩在师范学校读书时唱的一首歌。当他们哽咽着断续地唱完这首歌后，父亲又满含热泪深深地拥抱了我的母亲。没想到在我们眼中一向朴实忠厚的父亲却是这样浪漫地给自己的人生画上了一个句号。

父亲走了，带着满怀的爱；父亲走了，也留给我们无尽的爱。父亲的一生是平凡的，为了能准确贴切并高度浓缩地概括父亲这平凡的一生，家人们几经商议，最终在父亲的墓碑上刻下了"心系教育，爱撒渝州"八个小字和"金华读书人黄晋诚之墓"十个大字。父亲的一生洗净了铅华，对父亲的评价也应该朴实无华。"金华读书人"应该是对父亲最中肯也最高的评价吧，这其中还镌刻了他魂牵梦萦的故乡，亲爱的父亲在九泉之下如若有知，也一定会对此感到满意的，我想。

明年清明扫墓时，我将以此文燃起一缕心香献给我亲爱的父亲。

二〇〇四年十二月二十日夜完稿

旬儿与小萱

——名字的故事

"旬儿"与"小萱"都是我的名字。"旬儿"是父母由我的正名黄旬而生出的昵称。"小萱"是我的别名苏小萱的简称。黄是随父姓，苏小萱因母亲苏应萱而得名。儿时，长辈们都亲切地叫我"小萱"，稍长后大家叫我"黄旬"。而从父亲因工作远离家乡给我的第一封信开始，就深情地称我为"旬儿"，之后这称呼一直出现在父母的笔下，直至一家人不再需鸿雁传书。对这两个名字我都十分喜爱并有着如生命般的眷恋。

记得幼时大人们问我叫什么名字，我总会脆生生地回答"苏小萱"。当时虽然年幼，但不知怎么总觉得"小萱"既好听又比别的女孩名字出众。而我对文化似乎有一种与生俱来的喜爱。听到别的女孩儿们"芬"啊"芳"啊"秀"啊"珍"啊地叫着，小心眼里硬是觉得"小萱"比别人的名字高雅独特。随着年龄的增长，我逐渐得知了"萱"字的含义。原来我的外祖父、曾外祖父都是读书人，据传还是苏轼后裔。因而外祖父在为自己的四个子女取名时，颇含深意地从先秦伟大诗人屈原的著名作品《离骚》中挑选出蕴含美好、高洁品格的四种香花香草名，分别为儿女们取名"应萱、应荃、应荷、应菘"，希望自己的子女秉承先人的高尚品格，保持美好情操。而"萱"则是深居幽谷、香远益清的一种兰草，原来"小萱"还有这样深的含义。母亲将这个名字给我，应该也饱含着她对外祖父的无限追思和对我的殷殷期盼吧。之后随着我一天天长大，长辈们逐渐都叫我的大名"黄旬"，"苏小萱"渐渐被人们淡忘。然而这个名字却深深地珍藏在我的心底——她不仅珍藏着我对童年岁月的美好回忆，珍藏着我对母亲及先辈们的无比敬重，同时也包含着我对自己的一种激励，激励我在人生道路上抵御诱惑，始终追求人格的美好和品行的高洁。

而"黄旬"这个名字却另有一段故事。本来当人们都叫我黄旬时，我已渐渐生出自豪，因为它不仅独特，而且是单名。在我出生的那个年代，人们大都是双名。我的这个极为鲜见的单名"旬"很容易引起人们的关注。听到我的名字时不少人会好奇地问为什么叫这样一个名字。而一些看上去很文雅的叔叔阿姨还会加以赞赏，这让少不更事的我很引以为自豪。不过有时也有一点小小的烦恼，那就是一些婆婆嬢嬢总也咬不清这个她们很少叫过的"旬"字，不是叫我黄"迅"就是叫我黄"群"。为此，我曾多少次认真纠正过她们，其结果当然是徒劳。而真正对这个名字产生深厚感情却是在我知道"旬"字的来历之后。

在我十来岁时，母亲因病住院，我去看望她。同病室的病友问起我的名字并对"旬"字十分好奇。在我印象中很少谈及自己过去的母亲在病友的一再追问下，讲了一段往事。原来我的父母在他们十几岁时以全县一二名的优异成绩一同考入原四川省遂宁师范学校。他们不仅成绩好且模样漂亮。父亲是高高的个子，白白的皮肤，典型的白面书生；而母亲生得娇小玲珑，大大的眼睛，高高的鼻梁,一个才貌出众的女子。这对郎才女貌的校友有着许多共同的爱好:学校的音乐室里常能见到他们你弹我唱的倩影,如毯的绿茵场上更少不了他们奔跑投球的英姿。他们在一起吟诗诵词,又在一块儿绘画练字……在反饥饿、逐校长的遂师学潮中,他们共同组织并勇敢参与,父亲为此被关进国民党集中营一年,母亲虽保住了学籍但也被上了黑名单。多姿多彩的学生时代培育了父母纯洁而浪漫的初恋,更促成了他们厮守终身的爱情。在相识相恋十年后,他们结婚生下了我。为纪念这相识相爱并开花结果的十年,他们选择祖国文字中代表"十"的"旬"字作了我的名。原来"黄旬"还有这样一段传奇来历。后来我还知道了母亲出生于书香世家,其叔父时任射洪县县长,而父亲的父亲当时只是一个在嘉陵江上跑船的船工。家庭出身的悬殊没能阻挡这对青年相恋结合的决心,在恋爱十年后有情人终成眷属。先前只知道父母在遂宁师范读书时相识,却不知他们经历了这样长久而曲折的恋爱。这中间所经历的花前月下,所遭遇的困难反复虽已尘封在父母的记忆里,但一个"旬"字却传递出这其中的许许多多。

知道自己名字的来历之后,我对"黄旬"这个名字更加珍爱。特别是在父亲把他对最爱的女儿的无限关爱、不能给年幼女儿照顾的深深歉疚,都透过"旬儿"这一深情的呼唤传递给我后,我更将这一名字与对父亲的情感紧紧相连。这种感情随着岁月的流逝日益加深,日益浓酽。当我懂事后每次给父母回信都会深情而工整地落下"旬儿"二字,而在父亲去世后我又让儿子为我刻下了"旬儿一印"小章一枚,以作永恒的纪念。

四岁时与父母于重庆北泉荷花池

　　"黄旬"和"小萱"是我的名字,更是父母恋爱的结晶,同时也折射出他们对美好、高洁品格和矢志不渝爱情的毕生追求。从遂宁师范学校毕业后我的父母都走入教书育人的行业直至退休。虽然他们只是芸芸众生中一对平凡的男女,在他们的夫妻生涯里没有荣华富贵而且聚少离多,少了卿卿我我却更多为生活琐事的摩擦碰撞。但他们以自己的朴实无华手牵手走过风风雨雨五十年人生路,用他们独有的经历写下了一个永恒的"爱"。今年是父母结婚的第五十周年。然而深爱着母亲和子女的父亲却在去年十月病逝。临终前他深深地拥抱了我的母亲并字迹歪斜地留下了一首感人肺腑的爱的绝唱：

> 青天高，秋阳照，
>
> 云儿渺，风儿飘，
>
> 我和同学去逍遥，前面红旗飘，
>
> 蒙师后面育新苗。
>
> 青天高高，太阳照照，
>
> 应萱唱，我和好，
>
> 好似逐师楼前第一遭。
>
> 五十载伴侣乐陶陶。
>
> 八十光阴瞬间过，
>
> 人生如同梦一道，
>
> 但愿婵娟久，与此共终朝。

母亲在追念父亲时也凄然写下：

> 一年生死两茫茫，不思量，自难忘，
>
> 今日安葬热泪洒千行。
>
> 儿孙友人同祭拜，献鲜花，燃心香。
>
> 归来卧榻神思恍，
>
> 遗像前，苦冥想，
>
> 阴阳两界谁与话凄凉。
>
> 料得年年断肠处，小楼上，龙台岗。

每每捧读这两首小诗,我都会热泪盈眶,为我的父母深深感动。啊,我长眠于地下的父亲和八十高龄的母亲,是你们给了"旬儿"与"小萱"以生命,并以自己的平凡谱写了"旬儿"与"小萱"的绚丽,谨让女儿以此文表达对你们的深深敬重和无比爱恋吧。

一九九九年十二月二十日初稿

二〇〇四年十二月四日改定

我的外婆

外婆去世已经二十多年了。多少年来，我一直想写写我的外婆。写我知晓的她的不幸，也写她给我的童年留下的欢乐和蒙上的几许苦涩。

打我记事起，外婆就住在我家。在我孩提时的眼里，外婆总显得与别人家的婆婆不同。人家的婆婆都留着一双尖尖的粽子脚，走起路来一颠一颠的，吃力而可笑。而我的矮小精瘦的外婆却有和妈妈姐姐们同样的平脚，不论走路做事都十分精神。外婆的发式也很独特。人家婆婆长长的头发都在脑后绾个髻，而外婆的头发只有齐肩长，所有头发整齐地由前额梳向脑后再分成两股用发卡交叉别于耳后，且总是光滑平整无一丝杂乱。外婆的这种发式极好地显出她的知识和教养。外婆最爱整洁，梳头时总要在肩上披一块枕巾，梳完头一根一根地捡去枕巾上的头发，再绾好扔掉。每次出门上街，她一定要换上一身干净衣褂，迈出房门时还忘不了用双手掸掸全身上下并不存在的灰尘，并牵牵衣角裤腿，抹抹头发。夏天的时候，外婆特别好看。她最爱穿一身蓝得浅浅的泡泡纱短袖衣裤，琵琶襟式样的衣服右边衣襟下总是挂着一块洁白的手帕。出门时手上准有一把做工精细、扇面上绘有花草的漂亮的小蒲扇，并且总是用右手把蒲扇斜斜地举在头上方，以遮挡夏日灼人的阳光。

听老辈人讲外婆生于四川安岳县一个开明绅士之家。她父亲受五四运动影响，思想民主，从小让女儿读书习文，稍长后又送入师范学堂。他坚持不让女儿裹脚，不但使女儿免受皮肉之苦，还使女儿像男人一样行走自如。成年后，由她姐夫牵线，嫁给了我的外公——当时遂宁师范学校一位颇有才华的青年教师。刚结婚的日子，是外婆一生中最美好的时光。年轻而又浪漫的她常与外公一起吟诗诵词，吹拉弹唱。到她家做客的人，常能听到外公外婆在琴房里弹琴唱和的美曲佳音。然而好景不长，外婆与外公只共同生活了九年，外公在三十九岁时不幸身染伤寒，丢下身怀六甲的外婆和最大还不到十岁的三个嗷嗷待哺的孩子。其时，外婆哭得死去活来，趴在棺材边，几欲与夫同去。但为了孩子，她活了下来。生下遗腹子后，她便东奔西走到处教书代课，加上丈夫留下的一点遗产，含辛茹苦地拉扯着四个孩子，并让他们都读书上学，成为有文化的人。听二姨讲，外婆年轻时聪颖灵慧，吃苦耐劳，凭着自己的努力和才干在学校里渐渐崭露头角，不久即担任了安岳县一个小学的校长。记得我小时曾看到一张发黄的照片，照片上的外婆显得年轻干练，右手叉在腰间，两腿分开，骄矜地站在几个学生中间。这大概正是外婆在事业上春风得意之时。这张照片后来找不到了，但照片中的外婆却给我留下了很深的印象。不过这样的日子不长。不久，没有了丈夫，没有后台的外婆便被排挤贬职，原本受人恭维、热闹的家便大有门前冷落鞍马稀之感。其情其景给年幼敏感的二姨留下深深的屈辱的记忆。而我的外婆在失去丈夫，又经历了这样的起落后所感受到的人间冷暖、世态炎凉却只能和着泪水吞进肚里。在我的记忆里,从未听外婆向人提起过这些辛酸的往事。她那豁达大方的气度,让别人以为她一定是长年养尊处优,然而外婆不是。

外婆是一九五二年来到重庆的。那年母亲生我妹妹,把外婆从老家接来。直到一九六四年离开,外婆基本上住在我家。五六十年代的人们工作忘我热情,很少顾及家庭。五口之家的操持料理就全落到了外婆身上。外婆会安排也很会持家,到如今我父母还时常念叨当年就几十块钱,也不知外婆是怎样安排的,总让一家人过得虽简朴却舒适。家里的伙食常常要变换花样,荤的、素的、干的、稀的,饭食、面食轮流吃。每到清明前后,外婆还喜欢到郊外挑些清明菜,和在面粉里烙出清香扑鼻的清明粑,让大家就着稀饭美美地吃上一顿。外婆也很节约,上顿吃剩的饭菜,第二顿加点水,煮成一锅烩饭。若在冬天,她就会絮絮地说:"这烩饭有盐有味,热热烙烙,吃了全身暖和,两个娃娃多吃点。"平时,外婆总爱买些糖果糕点放在米缸里,每星期会让我们吃上一两次。只要看到外婆面带微笑,声音柔和地到院子里叫正玩耍的我们,我就准知道外婆要给我们吃糖了,就会好一阵欢喜。但外婆绝不允许我们自己到米缸里拿糖吃,她把那叫做"偷",说懂规矩的娃娃不做那样的事。外婆手也巧,不仅为我们缝缝补补,还自己打布壳为我和妹妹做鞋。我们的衣服都是外婆洗,家里也一直保持着窗明几净。料理完家务,外婆会戴上老花镜,眼镜的一条腿掉了,她就用线绑好,套在耳朵上,然后就坐在书桌前看书读报写信。她的信很多,信封上总是写着"刘老先生怀珍收"的字样。这种把姓、名拆开的称呼让儿时的我好奇了很久,稍年长后我才知道这是尊称。这其中一定有不少是她的学生写给她的吧。

外婆也很会带孩子。她最爱我妹妹,不仅因为妹妹长得人见人爱,还因妹妹一出生就由外婆带大。在妹妹身上外婆给予了无微不至的爱。妹妹很小时外婆总是用碎肉熬稀饭并不厌其烦地哄她喂她吃。吃甘蔗时外婆要专为妹妹削皮,然后由中间剖开,再砍成一小节一小节盛在盘里,说这样不会磕坏了妹妹的牙齿。妹妹生病了,外婆一定要单独为她做好吃的饭菜,或到店里为她端抄手。妹妹怕吃药,外婆总是轻言细语地哄她,还从不忘了准备好吃完药后的糖,怕妹妹嘴苦。

但外婆却未像对妹妹那样对我。不知为什么她不太喜欢我。是因为我不如妹妹长得好看还是百姓多爱幺儿之故?总之外婆对我很严厉。吃饭时多夹了几夹菜,她会用眼睛瞪我,做错了一点小事她会声色俱厉地吵我,做事情也总是叫我而从不叫妹妹。七八岁上就让我学着扫地抹屋,再长一点要我称盐打油,洗衣做饭,还要倒马桶,端着重重的撮箕到很远的地方倒垃圾。小时候,我常常看书着迷,叫我做事时若几声不应,外婆就会狠狠地斥骂我。我读书成绩很好,家里墙上贴了不少我的奖状。但当有人指着奖状夸奖我时,外婆却总告诉别人我的成绩只有六七十分,这件事让我对外婆不满了很久。自然灾害那年,外婆总是护着妹妹,我常常吃不饱,趁外婆外出时我偷偷舀锅里的冷稀饭或拿外婆放在米缸里的糖吃。如此几次后被外婆察觉并告知我的父母,我父亲为此还与外婆发生了争执。虽然邻人们都为我鸣不平,说外婆偏爱,但除了小时的不满,懂事后我再未怨过外婆。随着岁月的流逝和对人生的体味,我倒更加深了对外婆的思念和感激。正由于外婆对我的严格要求,才使我获益匪浅，养成了忍让、克己、吃苦耐劳和善解人意的品格，成年后才能经受住人生的艰难困苦，在逆境中奋起。

住在我家的后一段时期，外婆担任了地段居委会主任。段上的居民很少有不知道这位能干的苏婆婆的。三十多年后的今天，当地还有不少老人提到她。那时常有街道办事处主任或户籍来我家找外婆商量事情。这时的外婆便显出胸有成竹的模样，脸上充满了矜持与自信。更多的时候外婆是到地段开会。听人们说她常在大小会议上讲话，讲起来引经据典，头头是道。在我的记忆中外婆的声音朗朗，且伶牙俐齿。记得四五岁时，我家住在长江边一所小学临江的吊脚楼上，屋外的走廊正对江面。夏日的夜晚，祖孙三人端了小凳，坐在走廊上，数着满天星星，望着点点渔火，看着悠悠逝去的江水。这时外婆便会给我们讲牛郎织女，讲白蛇许仙。她还很会打谜语，至今我还记得外婆打的谜语："四四方方一座城，城里死了人；城外来哭丧，哭死不开门。"五六十年代，居民代表都是家庭妇女，有文化的很少，能说会写的外婆当然地成为她们中的佼佼者，在地段有很高的威信。谁家有事都爱来找外婆。有请她代写各种文书的，有来申请困难补助的，还有来评说家长里短的……总之，好事坏事都找她，她对有的人和颜悦色，对有的人又声色俱厉。已略知世事的我，觉得虽有不少人喜欢她，但也有不少人怕她甚至恨她，她后来的不幸大约有一部分也缘由于此吧。

十四岁那年，家里发生了令我终身难忘的也是改变外婆后半生命运的大事。那是一九六四年，当时我父亲远在綦江工作，母亲在近郊上班，一周才回家一次，家里就我们祖孙三人。大约是那年冬天吧,一向精干的外婆忽然卧床不起,一躺就是二十多天。她的脸尖了下去,眼睛总不敢正面望人,像在躲避什么。她咳嗽、吐痰,床前总是放着一个盛满炭灰的破脸盆。还说肚子里有包块疼。后来我想外婆一定是年轻时丧夫育子怄了不少气,埋下了痛气的病根。那时只觉得有一股不祥的阴云罩住了我们一向祥和的家。我变得更加懂事,为外婆熬药端水,倒痰洗盆。终于有一天我听人说外婆被开了斗争会,被那个来请她当居委会主任的街道办事处主任和被那些曾求她办事的人狠狠地批斗了。他们说她是狗地主,是混进革命队伍里的阶级敌人。我不明白这是为什么。后来有一天我在外婆的衣服口袋里发现一块巴掌大的纸条,上面写着"我的成分是地主",笔迹是外婆的。我吓呆了,在那样的年代,十四岁的我已知道这张纸条将带来的可怕后果。我一直只知道外婆在旧社会是个教师、自由职业者,怎么忽然间变成了地主?再后来我知道了一些事情真相。我的外公在世时攒钱买了些地,家里收有几担谷,土改时外婆的成分被定为小土地出租。"四清"运动中,外婆主动作了"交代",结果人家逼她承认是地主。斗她最狠的便是那个以前最依靠她的街道主任。那人也是地主出身,与外婆还是同乡。为了表现自己的积极,保住自己的地位,便昧着良心将外婆上纲上线地批斗。外婆受不了这样的斗争,终于病倒了。又过了一段时间,外婆悄悄地离开了我们家。母亲告诉我们外婆回老家去了,这以后我便不大知道外婆的消息了。外婆的来信母亲从不让我们看,也再没有在我们面前提起外婆。后来大家也就讳莫如深,再不提起这个敏感而令人伤心的话题。我记得当时我家二楼住着一位老婆婆不仅是地主成分,其夫解放初期还被镇压,但这位老婆婆因一直待在家里反倒相安无事,而我的外婆出来为大家服务,反而害了自己,命运往往就这样捉弄人。

一九七一年我和妹妹在乡下当知青时,母亲的一封来信中第一次在我们面前提到了外婆。信中说外婆很想我们,特别想妹妹,要妹妹写封信去。妹妹始终未回信,我不忍心让外婆失望,便去了一封信。其中一段内容我至今记忆犹新。我说:外婆今年应是七十一岁吧。记得六一年那年夏天我和外婆在小院里纳凉,我问外婆有多大了,外婆说她一九〇〇年生,今年六十一岁了。我说我是一九五〇年生的,外婆整整大我五十岁。外婆的回信说她也记起了这段往事,说她很想念我们,很想念在重庆与我们共同生活的时光。可惜那封信因年久丢失,以后再未见到外婆的字迹。前年我偶然见到外婆写给她姐姐的几封信,才知道外婆回乡后日子过得很苦。她与大舅生活在一起。大舅被打成右派下放农村,四十多岁了仍孑然一身。外婆拖着病体为大舅料理家务,还费不少心血为大舅找农妇组织家庭。此时的外婆更加勤劳节俭,有病也舍不得花钱上医院。肚里的包块更多、更疼。她既无钱又不愿丢下大舅到城里治病,也不愿拖累她的其他子女,很少写信谈她的凄凉晚景。我母亲的婶婶曾到老家看她,回来后直流泪叹息说不知嫂嫂的日子是怎么熬过来的。去年我们曾回过安岳老家,听到了更多关于外婆的情况。乡亲们都说外婆是个书书气气、满肚子学问的人。她对人温文有礼,说话时笑嘻嘻的,细声细气。她回乡后仍然顽强地与命运抗争着,不仅料理家务,六十多岁了,还学会了喂猪种菜拾柴。她喂猪时总是

与外婆在一起（前排姐妹俩，中排右起父亲、外婆、姨父，后排右起母亲、二姨，摄于一九五六年）

仔细地将猪草洗净，再剁得细细的。人们常见她提着一个篮子到田间地头捡拾狗粪，并用狗粪种出了大大的南瓜。村上的头头们为此说她是改造好了的地主。她仍然保持着爱整洁的习惯，缀满补丁的衣服依然洗得干干净净。变着花样做饭吃的习惯也未改。吃红苕期间，她会烧红苕、煮红苕，还把红苕切成一片一片掺水煮好，再放盐撒葱花做成一锅香香的苕汤。后来有一天外婆被一个自诩为革命者的人打了一记耳光并推倒在地。从此后一向刚强自尊的外婆便倒在了床上。心灵的创伤和肉体的苦痛无情地折磨着这位可怜的老人，临终前她已在病床上躺了一年。她的身上长了褥疮，大小便失禁。此时大舅还被派在水库打石头，孤苦伶仃的外婆躺在床上，只有一个远亲老婆婆守在她身边。外婆让她为自己擦身、梳头、换上干净衣裤后便凄凉地离开了人世,到死也未再见到她亲手带大的外孙们。

外婆七十四岁时带着一身病痛,带着屈辱与不平,带着对亲人的无尽思念离开了人间。外婆的母亲、姐姐都是高寿,都在九十六岁时去世。若非命运多舛,刚强的外婆是能够活到今天的。这个中年丧夫,桃李满天下,辛苦操劳一生,解放后还在地段为群众办事的知识妇女,晚景如此凄凉,想起来实在令人伤痛万分。我可怜可敬的外婆,如若您能活到今天,看到改革开放给国家和人民带来的巨大变化,得到人们对您的公允评价和您应该受到的尊敬,看到您已成家立业的众多子孙并和我们一起共享天伦之乐,那该是多么令人欣慰。然而,外婆再也不会有这一天了……

唯愿外婆的在天之灵能知晓这一切,愿外婆的灵魂安息。

一九九五年初稿
一九九八年改定

附录一：
重庆罗汉寺诗僧洪禅法师《读〈我的外婆〉书后》

　　文思情真意切，感染力强。从家庭细节娓娓道来，便巧妙地折射出"时代逆转"的悲凉。而遣词造句之间，却又含情脉脉，怨而不怒。似乎不是谴责历史，而是旧梦重温。

　　与其说这是"芸芸众生"无可奈何的矛盾情绪，倒不如说它是书香门第、名媛风范的一次自我省视。

　　读文章时，仿佛看见一个乘风破浪的坚强女性，在茫茫人海中前进。她既成熟，又善良。无论是报国、事亲、相夫、教子，都尽情地释放出爱的能量。尤其对新生代的成长，更倾注了三春之晖的无限辛劳。

　　作者的意图，像是要把炎黄子孙的传统美德继承下去，并世代相传。从而把那失落了的精神财富重新拾捡起来，发扬光大。

　　（听说：旧时代的女孩缠脚，是从六七周岁开始，十二三岁定型。这不仅是"皮肉之苦"，还有"刻骨"之痛。以足掌不扭曲，则不能成三寸金莲也。）

　　　　　　　　　　　　　　　　1998.12.28.灯下洪禅未是草

附录二：

表妹小兵的信

旬姐:你好!

初冬的夜是凄清的。我在灯下读旬姐的《我的外婆》,音响中一段音乐缓缓流出,那是柴可夫斯基《如歌的行板》正在播放。琴声轻吟低回,如泣如诉。我亲爱的外婆就从这哀婉的乐声中向我走来。

旬姐用工笔画似的手笔细腻地刻画了秀丽、书气、爱好的外婆,一个聪慧、能干的女性。旬姐的文章记述了外婆年轻刚结婚时的快乐生活到中年丧夫,从校长的职位到被排挤贬职,再从外婆在旬姐儿时的家度过的平和的时光,直至孤独回乡凄凉地离开这个人世。先扬后抑,起伏跌宕。我的心也随之一会儿在快乐的高处,一会儿又跌至痛苦的深谷。我听到外婆的灵魂在怎样痛苦地呻吟,又在与命运作怎样的抗争。现实就是这样把美好的东西一片一片地撕给人看吗?泪水迷蒙了双眼,心在淌血。

外婆留给我的只有一张我五岁时在中江和她的合影。照片中的外婆是那样的平和、安详,丝毫看不出生活的波折。而我如今连外婆的声音都记不得了。多么羡慕旬姐的童年有外婆相伴。在夏夜的星空下听外婆讲牛郎织女,病中有外婆温柔的抚慰……这都是我幻想过多少次的。就连那些许苦涩,不也是橄榄绿的回味吗?没有外婆相伴的童年是残缺的,但今天读了旬姐的文章不再有这种感觉。外婆的音容笑貌永远地留在了我的心底。感谢旬姐,你的文章圆了我童年的梦。

外婆,你的子孙感谢你带给他们的生命。更感激你遗传给他们的品质:善良和宽容。我时常从大嬢的坚强,母亲的温柔,旬姐的外柔内刚、秀外慧中里看到你的影子。旬姐文中那份感情的把持,也是因着你的遗传么?蓦然回首,见元元天真的笑脸,我知道,外婆的纯善早就在他的心里播下了种子。

院里的风很大,掀起那些细小的沙砾。那些沙砾在狂风中舞动后又重归平息,我的心也重变得平静。生命,本应是一首无怨无憾的歌。如果外婆在天有灵,看到他的子嗣们生活在一个关爱互助的大家庭里,该是怎样的欣慰。我想,外婆伴着外公是安息在开满鲜花的温柔之乡的。

旬姐,我喜欢你的文笔,那样平和,又那样一次一次打动我的心。你文中表现的对真、善、美的追求不也是我们共同追求的吗?现代人干涸的心河是多么需要爱的浇注。我也是喜欢你的。喜欢你完美的品性,喜欢你出世的思想、入世的生活。你说一直想有一两个知己,并希望这知己一定是女友,我也深有同感。我觉得,我们虽远隔千里,心却越来越近了。寒冷的冬夜感到亲情、朋友的温暖,是怎样的欣悦!

稿子打好,随信寄来。等你校正后,再重邮。本来给你介绍了一本书《美国来的妻子》,一看是一九九六年出版的,可能没有再版,叫李里不要去找了。

祝全家好!

小兵 1998.12.5

那事那人

　　人生际遇,趣事不少,往往如过眼烟云,笑过即忘。然有一事,虽时隔多年,还常常忆起,并令我在这欲海横流的年代还能坚守一份朴实,保留一份纯真。

　　那已是二十四年前的事了。

　　一九七二年,不少知青调回城里。我也得到一名照顾矿山职工子女的指标,结束了酸、甜、苦、辣、咸五味俱全的三年知青生涯,由涪陵县的百汇江边乘船逆江而上,又乘着呼啸的火车到了有着一片红色山石的綦江铁矿当上了一名炊事员。

　　出生于书香世家的我,青年时虽也曾踌躇满志,但在那个讲究红色出身的年代,能当上矿山的一名炊事员,我已很知足了。我决心在这个岗位上好好干一番。

　　那一日我在饭堂上早班。这个班从凌晨一点开始,具体工作是烧稀饭、做馒头,准备好咸菜,中间还可抽空打一会儿盹。到早上六点开饭,卖完饭后下班。通常早班都有三四个人。一个人上灶煮稀饭,另几位就发面、和面、做馒头花卷。我们的饭堂很大,可供几百人吃饭。当时大家吃的罐罐饭、馒头等都不用蒸笼蒸,而是在甑子里蒸。所谓的甑子,是在饭堂中间的空地上用水泥和砖砌成的一个内空约六平方米、高约一米的长方形池子,池子上面用几块大木板做甑盖。蒸饭时,盖上木板,四周围上厚厚的布不让走气。早班的甑子内有一小部分用于加热白天剩下的罐罐饭,另一大部分则垫上蒸布,用来蒸馒头花卷之类。池子下面有管道直通锅炉房,需用气时,电铃一拉,锅炉房便得知并送气,约一小时后饭食、面食即可蒸熟,再拉电铃通知饭堂。炊事员此时便揭开甑盖,将蒸布的角提起,抖松上面的馒头等,以方便早上用箅箕盛好出售。那时初到饭堂一月余的我,还不大会抢大铁锹加炭烧火,因此我的任务不是煮稀饭,而是跟师兄妹们一道发面和面做馒头花卷。那天,一切与往日相同,我们将面食弄好放进甑内,电铃通知锅炉房送气,然后几人便抽空打盹。不过在放面食时,出现了一段小插曲。那便是师兄们为省下点时间打瞌睡,把本应入甑前就切开的花卷,只撒盐抹油放葱花,做成了几个十来斤重的大面团径直放入甑内,欲待蒸熟后再切开成一个个小花卷。就是这几个面团引出了下面的故事。

清晨五时许,锅炉房传来电铃声,馒头熟了。还在打盹的我,一下从桌子边站起来,急奔向甑子旁。当时我处处想干在前头,顾不得腾腾热气蒙上眼镜,学着往日师兄们的模样,揭开甑盖,双手提起甑子里蒸布的两只角猛力一抖拉,只见布上成型的馒头和那几个大面团一股脑儿抛向甑子的另一边,那几个抹了油起了层的大面团经不起这样的折腾,顿时散架,摊成一堆大小不等的面坨坨。已经围到甑边的师兄妹们望着我的杰作,先是瞠目结舌,继而发出一阵哈哈大笑。本来木立在甑边茫然不知所措的我,望着这堆什么也不像的面坨坨,禁不住也与他们一起大笑起来。几个人在甑边笑得前俯后仰,眼泪直淌,好半天才喘过气来。然而笑过后我开始傻眼了,这可是几十斤白面啊。在日子已经好起来的今天这也许算不得啥，但在粮食还要定量的七十年代初期，这可不是一件小事。本来一心想逞能的我，这时脸上直发烧，恨不得有一个地洞可钻，心里也七上八下直打鼓，想着自己将为这事受到什么样的处罚。

就这样忐忑着挨到开早饭时，饭堂管理员向师傅来了。他是我们这里的最高长官，老共产党员。原本在井下掘进队采矿，因患了矽肺病才调到食堂。他工作认真负责又坚持原则不讲情面，饭堂的年轻人在心里都有些怵他。向师傅年龄五十开外，中等个头，留小平头，高高的颧骨，一个略带钩形的鼻子，两只不大的眼睛炯炯有神。初见他时我心中直纳闷，人们常说鹰钩鼻狡猾，为什么这个向师傅的脸上却总是透着淳朴和善良呢？这天我一边卖早饭，一边用眼睛的余光窥视着向师傅。只见他一如既往地走到甑边准备帮着炊事员们卖早餐。当他一眼瞧见甑子里那堆莫名其妙的面坨坨时，立时怔住了。他一言不发地审视着，脸上由惊讶到愤怒，两边腮帮里的牙不停地咬合。站在一旁的我，心提到了嗓子眼上。此时向师傅开始声色俱厉地发问，我无奈地做好了接受一场暴风骤雨般批评的准备。然而当他问明白这是新来乍到的我闯下的祸时，先是一阵沉默，接着脸上的表情开始慢慢缓和，最后他深深地看了我一眼，摇了摇头，未说一句责备的话，自己转身端来一个大笤箕，仔细地、一块不剩地将那些大小不一的面坨坨全装进了笤箕里。我提着的心慢慢放下，卖完早饭后仍同往常一样下班了。

中午到食堂吃饭时，只见饭堂前排起了长长的队伍。工人们在等着买油炸花卷，还称赞那花卷又香又好吃。我近前一看，那些花卷奇形怪状,大的大、小的小,长的长、方的方,既不成规矩,也不好论个数,只好秤重量出售。我一下子明白了,这是向师傅为了不浪费粮食而想出的办法。我知道面团风波已过,心中的石头完全落了地。望着系着围裙,戴着袖套,满头大汗正忙着秤花卷的向师傅,一阵感激和敬佩之情油然而生。不善言辞的向师傅,用一个老党员、老工人的实际行动教育着我,我急忙上前帮着卖开了花卷。

这事已过去多年,我也早已离开了铁矿。后来再未见到向师傅,听说他已因矽肺病辞世,我甚至不知道向师傅的名字。然而多少年后这事我还时时忆起,向师傅的音容笑貌也还时时在我脑中掠过。这位可敬的工人师傅以他朴实的行动教育着我,令我在这欲海横流的年代还始终坚守着一份朴实,保留着一份纯真。

一九九六年三月二日

家庭教育在孩子成长中的地位和作用

——我的教育实践及体会

　　家庭教育在一个人的成长中究竟有什么作用并将对其品质的形成产生怎样的影响呢？本文拟通过我和我的家庭教育实践对这一问题试作探讨。由于文中势必要涉及我的孩子，在进入正文之前，先说明两点：(1)虽然是谈自己的孩子，但我力求客观公正，以使本文确能给读者一些参考；(2)我的孩子尚未满二十岁，他的人生刚刚开始，今后的道路还很长，虽然他已取得一点成绩，但本文并非对他终身论定，对此应抱着发展的、辩证的观点。

关于我的孩子

　　由于是谈对儿子的家庭教育，先介绍一下我的孩子很有必要。他是我们的独生子，一九七六年十一月三十日生。现将他对自己的一段描述摘引如下：

　　赵钱孙李的李是我的姓，里程碑的里是我的名，颠来倒去我都叫LiLi。历人世已十有八载。自幼爱好文学艺术，虽不敢说饱读诗书，但也略通一二。

　　我出身书香世家，从小随母亲、外祖父母读书习文。读背过《三字经》、《千家诗》、《古文观止》、《论语》、《昭明文选》等。三岁开始习画，绘画作品曾在日本、美国、土耳其、法国等地展览，并获奖。在全国各类画展中也多次获奖。六岁提笔作文,散文曾在电台播放,在刊物上发表。平日里对书法、篆刻、工艺美术之类亦甚喜爱。

我六岁入幼学,小学阶段愚稚而无所得。十三岁入巴蜀学堂,独好辞章文字,偏失算理之法。初中毕业即参加高教自考,专习中文两年,现已完满毕业,获大专文凭。

上述文字是他去年所写。继此之后,他又自学中文本科,业已通过七科考试。今年初,为积累生活,磨砺意志,锻炼身体,也增加自己对有九亿农民的祖国的了解,他自愿到农村与农民同吃同住,边学习边劳动。他计划在农村住一年后回城。他说他不仅要了解农民的生活、思想,也要了解农村的春夏秋冬四季,既要看到播种,更要体会收获。虽然他住的地方很穷很苦,但他很快适应且毫无厌倦后悔之意。

他喜爱文学艺术,对中国现代文学史上的许多作家钟情倾心。十六岁那年暑假,他仅带着八百元旅费,历时二十四天,只身一人东寻西找,到浙江富阳、绍兴等地拜谒了他仰慕已久的郁达夫、丰子恺、鲁迅、矛盾等著名作家的故乡。途中历尽辛苦:渴了咬两块西瓜,饿了啃几口干饼,没车的路他步行,简陋的旅馆他能住,生病了咬咬牙坚持。归来时,不仅写了一本颇有文采的旅途记游,还背回了沉沉的两捆书,很令亲朋师友感动、赞叹。

他具备做人的起码品质:讲文明、有礼貌、守公德。他尊敬长辈——年龄尚小就体贴周到地照顾外祖父母,还时时帮助邻居老人。他曾以幼小的身体背、扶一位病倒路边素不相识的老人回家,逢年过节他要给一些孤寡老人送去点心、水果,他还不止一次资助体弱贫困的人们。他崇尚节约——不追求名牌,不羡慕高消费。着旧衣草鞋也能徜徉于街头闹市,吃素食白饭仍可吞下几碗。他亦参加劳动——衣服自己洗,房间自己打扫,十六岁时已独立生活。他的生活充实,每天基本上在读书、练字、绘画与写日记中度过。自小学至今,已坚持记日记三十多本。烟酒与他无缘,歌舞厅他不去,当下这花花绿绿的世界很少对他产生影响。可以说,他的人生观、世界观已基本有了一个健康的雏形。当然他也有缺点和不足,但从总体上讲,他算得一个品学兼优且个性鲜明的年轻人。

那么,他是怎样成长为这样一个人的呢? 我们的家庭教育对他又产生了怎样的影响呢?

我们的家庭教育

大家知道,家庭教育、学校教育和社会教育对一个人的成长都有着十分重要的影响。但是"每一个社会成员几乎都是在家庭中诞生的,从家庭中获得生命,在家庭环境中得到最初的也是给他生命打上烙印的教育"。因此家庭教育对一个人的性格、意志、品质、情操、爱好乃至人生观、世界观都起着相当重要的作用。我的孩子的成长经历充分说明了这一点。

一、良好的品质教育和家庭风范使孩子懂得了做人的道理并为其健康成长打下了坚实基础

品质教育是最早的也是最重要的家庭教育。作为孩子的母亲,我十分赞成"教人先行而后文"的主张。我始终认为做人的教育比成才的教育更重要。一个没有优秀品质和素养的人,要想成才是很难的,即使日后学成也不能成为"一个高尚的人,一个纯粹的人,一个脱离了低级趣味的人,一个有益于人民的人"。我不赞同有些独生子女家庭为了望子成龙,在孩子的学习上不遗余力,在品质教育

上却掉以轻心以及长辈们不注意自身品行修养的行为。因此我们对孩子的品质教育极为重视,做到了抓小抓早,一以贯之,严格要求,而且特别注意对孩子非智力因素的培养:

一是不迁就和纵容孩子,从不满足孩子任何一个无理要求。孩子幼小时就不允许其任性,让他懂得哭闹、撒泼毫无意义,任何事情都必须讲道理。孩子两三岁时,我家大院门口摆满了零食摊,当孩子第一次吵要时就给他讲明这些东西不卫生,吃零食不好的道理,而且不管什么时候经过都不为孩子购买,孩子因此养成了不吃零食的习惯。有一次孩子从带养的婆婆家回来后说了一句脏话,我听到后当即严厉制止,自此后至成年,孩子再未说过一句脏话。由此可见,只要不溺爱迁就,孩子能听懂道理并不会滋长任性的脾气。不使其任性也就迈出了家庭教育最基础、最重要的一步。

二是从小对孩子进行有明确目标要求的行为规范教育,并且从细小的、琐碎的、具体的事情上做起。著名儿童教育家叶圣陶认为"教育就是培养习惯","而孩子良好习惯和正确认识的养成,离不开日常具体事务中对其行为的约束和训练"。我们一家对孩子良好习惯的养成十分注意。从小要求孩子爱清洁讲卫生、饭前便后洗手、说话文明、不打架骂人、尊敬长辈、友爱同学、帮助他人、自己的事自己做等等,并且持之以恒地对孩子进行这些最基本品质的培养。孩子从小就逐渐形成了明确的是非观念,做到了不打架,不骂人,待人礼貌,说话文明,参加劳动,很爱干净。他小时从不参加小男孩的拍纸画,也不参与打电子游戏。小时的行为约束和训练,使他逐渐养成了良好的道德习惯、生活习惯和卫生习惯。

三是培养孩子热爱劳动和独立生活的能力。我们在孩子很小

时就要求孩子自己的事情自己做,并让他参与一些力所能及的劳动。孩子五年级时有一篇日记对他参加家务劳动作了生动的记述:

一个人要学的东西太多了,就看他学不学,比如裁剪、种花、养动植物、管家都可以学。

这个星期我就学管家。爸爸给了我九元钱,我得计划。一天控制在一元内,一个星期就是六元钱左右,有时可多一点。中午一斤面,一斤两角,六天一元二,加起来七元钱左右,剩下的作劳动费,吃支冰糕什么的。还得想一天吃点什么,不能每天一样。每样多少钱还得记下来,真要费脑筋。

今天我打算吃干饭,丝瓜汤、烧凉粉、炒藤菜。想好了,我提着菜篮,顶着烈日来到菜市场,还得学会讲价。我问凉粉多少钱一斤,一斤二角五,不贵,和平常一样。我秤了一斤,又秤了一斤丝瓜,就回来了。淘了菜,切好了,就要开始炒菜了。哦,先把饭蒸上,我这才想起。把饭蒸上了,这边锅也辣了。倒上油,放好佐料,把凉粉烧了,又去炒藤菜。刚要炒,爸爸走来说油倒多了,下次少倒点。我三下两下炒了藤菜,这边饭又好了,我端开饭来烧丝瓜汤。我还是第一次烧丝瓜汤,我把水、瓜放在一起烧,爸爸走来说:"把油、姜放进去。"一会儿烧好了,我把饭菜放在桌子上,等妈妈回来吃饭。

管家还真是门学问呢。

从这篇日记里可以看出孩子通过家务劳动不仅学到了本领,还知道了持家的艰辛,学会了精打细算。劳动锻炼了孩子,四年级时他就能独立生活,并为成年后自立于社会打下了良好基础。

四是重视孩子的综合素质教育。这主要是指孩子的非智力因素,包括动机、兴趣、情感、意志、性格等等。在这种教育中,我们主要采取讲优秀人物的故事,给他读讲儿童启蒙读物和各类优秀作品。十一岁时,孩子写过一篇《读〈鱼我所欲也〉有感》的文章。他写道:

> 在我八岁时妈妈就给我读《鱼我所欲也》一文,今日读了又加深了理解……生命固然可贵,但自己的信仰、道义、正义能超过一切。我们现在就应该有一个坚强的信念、崇高的理想。不管遇见什么困难也要去实现理想,如果有生命危险也不怕。

年龄稍大一点我又给他讲中国古代知识分子所崇尚的"富贵不能淫,贫贱不能移,威武不能屈",讲范仲淹的"先天下之忧而忧,后天下之乐而乐"等儒家的入世思想,也给他讲"穷则独善其身,达则兼济天下"及陶渊明洁身自好、归隐田园,"采菊东篱下,悠然见南山"的思想境界。这些教育始终贯穿了理想主义色彩。我认为一个有理想、有道德、有高尚情操的人才可能在任何环境下都保持"人"的本色。这样的人才真正是国家的栋梁之才。这种有关动机、情感、意志等方面的教育对李里的世界观、人生观的形成有很大的影响。他在初中时写道:

> 要成为好的艺术家,必须先成为好的人。中国的每一样文化首先是对人的德行的要求,其次是对人毅力与胸襟的要求,再次方才是对各门技巧的要求。要有淳朴、方正的品行,博大、宽广的胸怀,文化道德的修养,坚韧的毅力,熟练的技巧和对生活、理想的执著追求,才能成为一个伟大的人与伟大的艺术家。

二、浓郁的文化氛围和学习风气养成了孩子好读书、爱学习、勤思考的良好习惯

我们全家都热爱学习,家庭有良好的学习氛围。我的丈夫在大

学任教(公婆早已去世),每天回家的大部分时间总在读书看报。我的父母都是中学退休语文教师,父亲七十多岁了仍在某杂志社任编辑。我自己是六六届初中毕业生。一九七九年以后,我读了工艺美术职工大学,又自学了电大中文专业并取得大专文凭。我家藏书很多,犹多文学书籍。李里小学二年级时在《我的一家》中写道:

我的一家很爱看书,每天晚上爸爸备课,外公看报,外婆也备课。妈妈学习到半夜,我看小人书。

他还写过一篇《勤奋学习的妈妈》:

我的妈妈已三十八岁了,可是她还是很爱学习,也特别勤奋。我的妈妈读完初中,就开始了"文化大革命",耽误了她的学业。工作以后,她读了美术大学,可妈妈不满足,又读电大。那时我只有四五岁,爸爸又远又忙,很少回来。妈妈一人带我还勤奋读书。在厂里她中午不休息,就读书、背古文、学习课本。下午回来又要给我煮饭,照顾我。等我睡了,妈妈就坐在灯下埋头学习。她深夜还在写、读、背,经常是弄得通天亮,又要去上班。冬天她不怕,夏天她也不怕,还是坚持读书……妈妈一有时间就想多看书,多了解信息、新闻。她很少玩和看电视,她总是觉得自己知识太少,总想多学多记。

这一时期因房屋拆迁,我们和我的父母住在一起,外公外婆常在家吟诗诵词并教给三四岁的李里。我也经常在带他经过有小石桥的地方,教他读"枯藤老树昏鸦,小桥流水人家",晚上在月光下让他念"床前明月光,疑是地上霜"。到医院打针时我给他讲中国古代神话故事如《精卫填海》、《夸父逐日》。读小学后,我又经常给孩子诵读优秀散文如朱自清先生的《背影》、冰心先生的《寄小读者》等等。由于对文学的热爱,我还对孩子的作文给予了精心辅导。孩子刚学写第一句话我就开始讲评，他的许多作文都经过我逐字逐句的修改。我把他从小学起写的每一句话、每一篇作文及日记都保存下来并装订成册。我家这种良好的文化氛围和喜爱学习的风气，潜移默化地使孩子受到深深的影响，也培养了他对文学和学习的热爱。三岁时他已背得不少诗词，四五岁就能清楚地说出四大名著的作者。上小学后他腋下经常挟着一本《左传》或唐诗宋词，令小学老师惊叹不已。现在他已能用文言文写出散文并得到大学教授的肯定。而从小到大我们为他购买的连环画及各类书籍已成为他的珍爱。他自己也逐渐养成了进书店购好书的良好习惯。读初中时，他曾省下饭钱购买一套《资治通鉴》，他还在小贩箩筐中选得《文心雕龙》，外出旅游也总背回各种书籍。他十五岁后我家藏书剧增。他会买书也爱读书，读书时常常多本一起看，让知识相互印证融会贯通，并通过自己的思考得出独立见解。他中学后逐渐写出许多关于文学、艺术、历史、政治等很有思想、很有见地的心得体会。现摘录两段。初二时他在《常与无常》中写道：

　　我以为生活中独特的事，即"无常"是很少的，而生活中还是"常"多。

　　人们每日重复为生活做着同样的事。老妇人们日日在家做饭、洗衣、带小孩。老太爷们日日栽花养鸟，学生们日日上学读书，工人们日日上班。虽然每个人的工作不同，生活不同，但日日做的近乎相同，生活中也还是常人多，伟人少。人们的环境也几乎是固定的。城区的人，天天见着喧闹的都市，农村的人，天天看着田野，海边的人们天天望着大海，所以人们在他们的环境里难以发现很独特的事物。他们都用习惯的眼睛去看周围的一切。"无常"的事也不是没有，突然间邻居自杀了，闹市区失火了，大桥断了一截，某某舍身和歹徒作斗争，等等。但"无常"毕竟是少数，生活中时时刻刻伴随着人们的还是"常"。作家的伟大就在于能在平凡中发现不凡……

鲁迅先生的《孔乙己》、《伤逝》、《白光》等都是用生活中平凡而又典型的人和事来反映整个社会。老舍先生的《四世同堂》、夏衍先生的《上海屋檐下》又都是用极普通的细微生活来反映社会。我们作文就应该从普通的细微生活中去发掘，去思索。

"常"是伟大的，"无常"在"常"面前也要低头三分。

在学《通史》中他又写道：

真理本身是个不断认识的过程……《夸父逐日》的神话是个古老的寓言，寓意整个人类追求真理的道路是永无止境的，就像追赶太阳是永无完期的。夸父亡而留下的手杖，就好比人类追求真理过程中留下的财富、成就。以后的求真者从手杖化为桃林的地方起步，踏着前人的肩前进。

这些都是他学习中的一些体会，虽不成熟，却可以看出他的读书学习很有所得。

三、对兴趣的发现和培养开发了智力，锻炼了能力，也使孩子成为一个热爱祖国、热爱生活和充满爱心的人

一位伟大的科学家说过"兴趣是最好的老师"，由兴趣培养入手，引导孩子乐学、好学，从而走向成功之路，是家庭教育的重要内容。

孩子三岁时表现出对绘画的特殊兴趣。当时正值我脱产三年学习工艺美术期间。我每次在家绘画时孩子都会要上纸笔，静静地坐下来画上一两个小时，这与平日在邻居和幼儿园老师眼里认为有

多动症的孩子迥然不同。这一发现令我们十分欣喜。蔡元培先生说,高尚的兴趣能"陶养吾人之情感,使有高尚纯洁之习惯"。基于陶冶情操的目的,我们开始了对孩子有意识的美术培养。我的家庭在这一点上具备良好条件。不仅我正学美术,孩子的父亲也有很好的绘画基础,而孩子的外祖父母也喜欢绘画,大家都成了孩子的启蒙教师。学此专业的我,自然担负了更多的责任。我特地给孩子做了一个装小夹板的小书包,放上纸笔,让他每天背到幼儿园练习。对他的每张涂鸦之作,我都欣喜地给予肯定和赞赏,同时逐步指出长处与不足。孩子从长辈的赞赏中感受到了成功的喜悦,兴趣愈加浓厚,绘画技艺也逐渐进步。五岁时便参加四川美展获得纪念册。小学后更不断在多种竞赛中获奖。从四岁起,孩子的各种练习我都基本上保存下来并粘贴整理成册,这也给了孩子极大的鼓励。兴趣已发展成孩子的执著爱好,从开始绘画起,他几乎从来没有间断过线描练习。而通过绘画,孩子的智力也得到了很好的发展。

一是丰富的想象力和思维创作能力。绘画时他几乎从不机械模仿和照抄别人,即使临摹作品也要加入自己的想象。幼时他虽不识字却能通过看连环画清楚地讲述其中的故事,脑子里装满了各种形象。一开始画画,各种形象就往笔下冒,基本上由自己想象创作,充满童真和稚趣。对孩子表现出的丰富的想象力和创作能力我们一开始便给予了充分肯定和正确引导。总是鼓励他大胆按照自己的想象创作,从不因孩子画得不像对象而责备。这使得孩子的想象力和思维创作能力充分发展,给他一个题目,他就可以创作出十分独到的作品。如美院附中出过一道"早上,太阳出,鸟儿叫,小朋友背新书包上学,碰见先生行礼"的考题给考生们作画。孩子按这题

意创作了一幅画,他在日记中记载道:

> 八开纸,前面一先生,两学生与先生敬礼。用粗钢笔勾出,作重彩。后画一孔子像,特大的衣服上用学校、太阳、小鸟、古代传说作装饰,中间的衣带上写着:尊师重教古已有之。全部用淡钢笔勾线,作淡红色,退到后面去了。

这幅画,美院老师称"十分独特"。

二是敏锐的观察力和积累生活的能力。有感于自己青少年时期缺乏这方面的训练,成年后深有体会,因而在孩子学习绘画时,特别注意培养这种能力。我经常在孩子绘画时要其仔细观察对象,并告诉孩子美无所不在,就看你是否有一双观察细致并能发现美的眼睛。能成为作家、画家的人,就是因为他善于观察,善于思索,能于别人的视而不见中发现美和独特。对此,孩子在《秋日赏菊》的日记中写道:

> 我与母亲看了许多小朋友画菊的过程。母亲说:"小朋友只看了一下对象,并未仔细观察,凭着想象自己组织,总是不那么美。大自然是很美的,花的造型千姿百态,自己想象总画不出很美的东西,传不了它的神韵。"母亲的话又一次让我明白了观察的重要。

我还要求孩子不仅要善于观察,也要善于收集素材,积累生活,哪怕是生活中的细枝末节也不放过。这些都使李里的观察力、注意力得到很好的发展。他很奇怪其他小朋友为什么老是在作文、画画时感到困难,他觉得自己总有许多素材要写要画,只是苦于没有时间。稍年长后,他的人物速写经常捕捉到的特殊神韵令美院老师也十分赞赏。而他的文章中对事、对物的精到描写屡屡让人叫绝。这里摘录一段他十六岁时雨中游西湖的描写:

一到西湖，果然妙哉！雨中的意趣和晴里的形态真是迥异了。晴里一切都百般明晰，湖水、垂柳、长堤、孤山、荷花、小舟都一样一样，一色一色地呈现在你眼中。一种明朗清洁的感觉。雨中却不然，种种景物朦胧一片，美都在若隐若现中。杨柳的柔和柳条在风中飘动着，孤山在烟雨朦胧中，小舟在湖里一荡一荡，仿佛马上就要隐没在烟雨中了。荷花在湖水中也像摇摇欲坠似的，这雨水打在荷花上也格外美丽，水珠在花瓣上滚着，也像染上了粉红色，完全是沐浴后的女儿。最是雨水打在西湖中，一个个涟漪紧依着，相互传递开去，小涟漪一圈一圈泛成大涟漪，整个湖水就像是在微微地荡漾中。奇的是下这么大的雨，西湖边上还有垂钓者，撑着伞钓鱼的形态百般有趣。

通过绘画，孩子还逐渐学会了爱，并由对自然的爱发展为对生命的爱，对生活的爱和对祖国的爱。在绘画学习中，必须了解自然、感受自然。为此，我们经常带孩子到公园、郊外、河边、山上游玩和写生。自然界的勃勃生机和美丽景色常使孩子流连忘返，给他留下深刻印象。五岁时，外公外婆带他回农村老家去玩，以后他在日记中多次写道：

我喜欢农村，我太喜欢了。因为农村风光美丽，农村的山水都把我迷住了。我到农村去的时候，我还喝了泉水，我要是住在农村该多好啊。

他还喜欢美好的、有生命的一切。他说："我的课余生活是丰富多彩的，比如养花、养小动物、集邮、画画、做手工等等。"他上一年级时就开始种花，星期天早晨常要父母或外公外婆带他到花市买回各种花草，然后自己松土、种植、浇水，时时关心着花草的生长，并在日记中记下。他更喜爱各种有生命的小动物,喂养过猫、兔、鸟、鸡、龟、鱼等等。他从小买回并精心喂养的一只猫被多次在日记中生动地记述,猫生病离家后,他伤心地大哭了一场。在绘画学习中,他对祖国的古老文明、悠久历史也有了越来越深入的认识。稍长后,他又多次到一些名山大川旅游,进一步增强了对祖国大好河山的热爱。正由于此,才使他在看到齐白石老人所说的"由于爱我的家乡,爱我祖国美丽富饶的山河大地,爱大地上一切活生生的生命,因而花了我的毕生精力,将一个普通中国人的感情画在画里,写在诗里"这段话时激动得热泪盈眶,当即在书店背下并写进了日记中、压在了玻璃板下,还多次激动地对我提起,可以说他已把这种感情融进了生命里。

我的几点体会

家庭的情况千差万别,家庭的教育各不相同。我们的家庭之所以能在孩子健康成长中发挥重要作用,我有如下体会:

一、母亲的影响

母亲与孩子有着最亲密、最直接的关系。"孩子每时每刻都在接受妈妈发出的生命信息。"契诃夫说:"母亲之所以在教育子女方面不能由外人代替,就是因为她能够跟孩子同感觉、同哭、同笑。"孩子在人世间认识的第一个人是妈妈,会发的第一个音符是"妈",最依恋、最离不开的也是妈妈。母亲对孩子的爱超过人世间所有情感,母亲给孩子的是世上最伟大的、最无私的爱,给予孩子的教育是生命的教育。因此母亲在孩子的成长中起着任何人都不可替代的作用。我对自己孩子的影响也深深地说明了这一点。从小到大,孩子爱我,服我,信任我。我既是他的妈妈,也是他的老师,更是他的知心朋友,至今我们仍无话不谈。在不知不觉中他已经从我的身上学到许多。我们在兴趣、爱好、品行以及对不少事物的认识乃至优缺点上都有十分相似之处。这种状况说明,母亲时时刻刻都是孩子的一面镜子,母亲的一举一动、一言一行都影响着孩子对生活的态度。这也就给每一位母亲提出了很高的人格要求。"教育者必先受教育。"很难设想,一个自私懒惰、不爱孩子、不求上进、不讲公德的母亲会教育出一个品行高尚、勤奋好学的孩子。因而每一个母亲都应不断地提高和完善自己。实际上母亲在教育孩子的过程中,也会时时发现自己的长处与不足。正如苏联教育学家霍姆斯基所说:"每瞬间,你看到自己的孩子,也就看到了你自己,你教育孩子,也就是教育自己,并检验自己的人格。"我从孩子身上就发现了不少真诚、纯洁、无私等令人感动的优秀品质,常常引起我的自省、自励。在这里,我希望年轻的妈妈们,为了孩子,不断地修正和提高自己,因为孩子们都希望自己的妈妈是天底下最好最伟大的人。

二、重视个性的发展

"尊重知识,尊重人才,首先就意味着尊重人的个性。"著名教育家吕型伟教授说:"少提一点全面发展,多提一点个性发展,有利于培养出类拔萃的人才。"他认为,四十年来鲜有出类拔萃人物,正是教育忽视了受教育者个性的发展。我十分赞同这一观点。在我们对李里的教育中,就非常重视他的个性发展。李里很早就表现出较强的独立意识和鲜明的个性。从刚开始学画起,他就显露出不愿重复自己和别人的特点。画画、做事总是要别出心裁。学过美术的我对此极为珍视。因为我知道这是一个人,特别是从事文学艺术创作的人要取得成功的重要因素。因而给予了精心呵护和培养。除了鼓励他绘画时独立创作，在其他方面表露出的独立意识也给予支持——当然这是在不影响社会和他人的前提下。上小学时，孩子认为草鞋穿着舒适，不顾别人取笑，穿着草鞋上学，我支持他，给他买草鞋，他至今夏天仍有穿草鞋的习惯。他将老师叫先生，对老师行鞠躬礼，老师斥他装怪，了解缘由后我未批评他，因为他认为这更能表达自己对老师的尊敬。十岁时，他穿着自己准备的化装舞会上的唐僧袈裟，头戴僧帽，脖挂佛珠，手持禅杖，在众多大人小孩的围观尾随下到市中心走了一圈，毫无胆怯之意，这时我们鼓励他。从小学五、六年级后，他表现出对文学艺术的偏爱而"偏失算理之法"，初中毕业时虽然作文美术冒尖却未能考上重点高中，我们没有责怪他，而是支持他发展自己的特长，走适合自己的路。于是他未读高中而通过自考径直取得大专文凭。家庭的培养和支持，使李里逐渐形成对事物有独到见解、敢于标新立异的鲜明个性。表现十分突出的是由于他对祖国传统文化的深深热爱，初中时自己请人做了一件长衫。大学后他常穿着长衫在校园、街上行走，并在百分之九十的回头率中保持着泰然自若。穿服装虽然是个人喜好，但却表现出他的独立意识和"敢为天下先"的良好心理素质。这使他没有一般青年人所特有的从众心理。在当前市场经济大潮的冲击下，他仍能保持自己的见解，对中国传统伦理道德观念中的精华予以认同，并对拜金主义、物欲横流等非正常现象嗤之以鼻，除了良好的道德修养，也与这种"走自己的路，让别人说去吧"的独立意识有着深刻的内在联系。

三、和谐而宽松的家庭环境

"和谐的家庭生活是家庭教育的基础。"首先我和我丈夫的感情和睦，我们在生活上互敬互爱，在事业学习上相互鼓励。我们的家庭生活是和谐而稳定的。虽然在教育孩子上我们曾有过分歧,但当丈夫逐渐认识到我教育孩子确有所长时,就基本采取了妥协和让步,让我在教育孩子方面承担了主要责任。这从客观上减少了父母在教育孩子时因认识不同而产生的争吵,相对保持了家庭的和睦与稳定。其次我在教育孩子时十分注意尊重和理解孩子。因为孩子虽然小,但同样有自尊心,同样希望得到别人的理解和尊重。对孩子的缺点和错误,总是在仔细分析的基础上给予批评,使孩子接受起来口服心服。同时采取说服教育和民主的方式,让孩子在宽松的环境中接受教育。对一些有关孩子的大的决策,如小学升初中、初中毕业后的路怎么走以及到农村体验生活等等,总是先让孩子谈出自己的想法,最后再由大家民主商议作出定夺。最后是打破长幼有序的古训,与孩子交朋友,同孩子一起嬉戏打闹,做"孩子最忠实的听者"。在家里有客人一起闲聊时,也允许孩子参与,使孩子感到自己也得到了尊重,树立起孩子自信、自强的意识。这种宽松而和谐的家庭环境,使孩子爱我,也热爱我们家。他最喜欢与外祖父母、父母亲等一大家人坐在一起聊天。这种时候,孩子自然地成了联结三代人的桥梁,在我们家几乎不存在代沟。

四、家人共守的行为准则

家庭所有成员的"行为、举止、言谈与礼仪风范"无时无刻不在潜移默化着孩子。"家庭教育是渗透在家庭全部生活之中的。"孩子是双亲的镜子,孩子的行为清晰地反映出家庭成员的行为准则。所以对孩子言传身教,要求孩子做到的家长首先做到也是我们家庭教育发挥作用的重要因素。我们家的人洁身自好,严于自律。我和孩子的父亲都在单位里负责一方面的工作。我们勤奋学习,努力工

一九九七年初春与父母、妹妹、儿子于重庆南泉公园

作,在单位上多次得到嘉奖。我的父母也兢兢业业献身教育事业大半生,退休后还在不断地为社会贡献余热。我们关心国家的前途命运,在家里经常讨论和抨击不正之风,我家墙上挂着"布衣暖、菜根香、诗书滋味长"的横幅。我们喜欢看书读报,看电视也要选择品位高的节目。我们尊重关心老人,家里有点好吃好用的总要给父母送一些。我们宽容大度,不与他人斤斤计较,兄弟姊妹谁有困难都伸出援助之手。我们的业余时间不打麻将,喜欢到郊外或茶馆里读书学习。这些都深深地影响了孩子,使孩子从家人共同遵守的行为准则和言传身教中耳濡目染,逐渐养成了良好的习惯,基本成长为一个如邓颖超老人要求的"爱祖国、爱人民、爱劳动、爱科学、爱护公共财产"且有良好素质的青年。

通过以上分析不难看出,我们的家庭教育对孩子在德、智、体、美、劳诸方面和谐发展,对孩子良好个性以及人生观、世界观的形成确实产生了举足轻重的影响。但要指出,本文绝无意贬低学校教育和社会教育的作用。事实上家庭教育、学校教育和社会教育"始终处于相互渗透、相互影响、相互作用的互动状态",每一部分都不容忽视。但这已不是本文所要探讨的范畴,这里不作分析。在结束本文时,让我引用一句大家都熟悉的话:"三岁看大,七岁看老。"年轻的父母们、爷爷奶奶、外公外婆们,为了你们的孩子,为了民族素质的提高,让我们共同重视和探讨家庭教育,共同提高和完善自己的人格吧,因为我们的孩子期望着我们。

一九九六年十月九日完稿

(本文应重庆《青少年与法》杂志约稿而作)

与儿子度周末

八月十三日,星期日。今天是儿子参加本科自学考试报名的日子。儿子还未满十九岁,但已于去年十二月取得自考大专文凭。现在他又边工作边学习,一家人商定今天一道去自考点报名。

晨起,料理诸事毕。大家上路。

一路上,儿子挽着我的手——从小到大他都如此,从不顾及路人各式各样的目光——亲热地摆谈着。话题只有一个,到农村去。这是由今早来约儿子去报名的同学引起的。同学家住农村,我想到儿子身体不好,何不到农村去参加劳动。既可锻炼身体,又得以抽空读书、习文、作画。儿子年轻,好幻想,又有远大抱负,这个议题令他十分兴奋。虽尚在酝酿中,却已似身临其境。田园风光、牧童短笛,就连栽秧打谷也颇具诗意。母子俩越谈越兴奋,不觉来到报名点。

这里已有不少学生在忙碌着。今年的报名要填机读卡,儿子对此很不"感冒",加之有父母在,便想依赖,自己却与己无关地东张西望,毫无动手报名的迹象。这下惹得他爸一阵责怪。这里得交代一下,儿子是一个对中国传统文化爱到骨子里却对外来事物抱有成见且个性独特很有独立见解的年轻人。对计算机等利弊相伴的"洋玩意"十分不屑。他老子本来对此就有看法,加之父亲做事又太细心,既想让儿子自己动手,又怕他心怀成见马马虎虎做不好。于是又是责怪又是争执,闹得大家都很憋气。最后还是我坚持让儿子自己去读《报名须知》,学着填机读卡。儿子很听我的话,虽嘴里叽叽咕咕,说什么用了计算机反而更繁琐啦,学生的麻烦更多啦,但还是正确地填好机读卡交给老师。最后还不屑一顾地对他爸丢出一句:"有啥子难嘛,说得这么恼火。"呛得他爸半天未说一句话。

报名出来,在外吃罢中饭,便进人民公园坐茶馆。正值中午时分,茶客稀少。平日里可远眺江南风光的靠栏杆的桌位总有人占着,今日却空了不少。昨夜一场大雨,空气清新,天气也十分凉爽。坐在栏杆旁的桌边,望着江对岸的山色,凉风习习吹来,好不惬意。叫了茶,拿出书、报、纸、笔,三人各有事干。我抄写儿子十六岁时独自一人到江浙一带东寻西访名人故居时写下的《旅途记游》,他爸看自己的专业书籍,儿子则拿着《中国古代文论选读》读起了刘勰的《文心雕龙·情采篇》。只见他手拿书本,朗声诵读,那情景早已忘却了左右邻人。读到精彩处,脸上得意之情喜不自禁。虽不如鲁迅笔下寿镜吾老先生的摇头晃脑,却也俨然一副迂夫子味道。

我禁不住问他:"这是你要考试的教材吗?"

"嗯。"

"为何还要反复诵读,不怕完不成进度?"

"这些名篇定要背诵,方有收获。"

难怪儿子已背得不少精彩名篇,望着他那成竹在胸的模样,我想,儿子已长大了,用不着我再指手画脚了。

茶馆里的人渐渐多起来,天气更加凉爽,不时有点点细雨飘到桌上。一阵凉风吹来,已能感到秋的凉意。虽觉坐茶馆十分愉悦,却难承受这陡然变化的天气,催着儿子快走(他爸已先离去)。儿子却执意要多坐一会儿,于是调整座位到里边。近四点,终因天气太凉,起身离园。

一九九三年初春与儿子于重庆滨江公园

　　回家途中,儿子又紧紧挽着我的手,母子俩总有说不完的话。眼下的话题是设计儿子梦寐以求的自己的书斋。他说门两旁一定要自己手书"铁马秋风塞北,杏花春雨江南"对联挂上,只是中间门楣上的书斋名迟迟难以定夺。

　　我笑道:"就叫兼而有之吧。"

　　"不好,太俗,太直白。"

"你原本就是这意思嘛。本来鱼与熊掌不可兼得,你却既要塞北雄风,又要江南细雨。"

"我就是要终身追求完美,既要'生'又要'义',既要豪放,又要婉约。"

"那就叫鱼掌斋吧。"

儿子顿时高兴至极,叫道:"好,就叫鱼掌斋!"

一路说笑,来到闹市商场。

逛商场,看各式服装是我俩的共同爱好。我们都喜文学,爱美术,看好的服装就像在欣赏精美的艺术品,虽不买也是享受。逛罢商场回至家中,忙着吃过晚饭,儿子又匆匆上班去了。一天的休息结束了,虽平凡,却十分愉快。

与儿子度周末真好,我想。

一九九五年八月十九日

书信五封

一

二嬢、顾叔：

真真不该，让你们久等了。对你们情真意切的两封来信，我虽时时挂在心头，但却拖至今日才提笔回复，心下甚感不安。但倘讲清缘由，想必通情达理的二嬢和顾叔是能原谅旬侄的吧。

七月底李里由乐山返渝，带回了二嬢的信，更带回一片浓浓的情。但只隔几天，八月三日我便外出检查工作，历时近五十天，至九月十六日方返回。虽时时记挂着，但终因每天从早至晚忙碌，四十二度高温时，也仍然室内室外奔忙，晚间还要忙到十二点后，纵有心意，也不能付诸实施了。回来后处里工作一个接一个，又遇上复生学院房子分好了，需我去打扫，搬家，布置。李里马上又要入学，所以又把复信的事拖了下来。接到二嬢的第二封信，我真有点深感内疚了，您身体不好，却时时想着我们，特别是您对李里的爱，让我更感到长辈的情和我肩上的责任，我深深地谢谢您了，我亲爱的善解人意的二嬢。

对于李里，二嬢想得很多，也很周到，有些东西，我们确实因为工作忙碌思考得不多，但对他的生活、学习，我们还是尽力作了一些较为符合他的安排。有些东西,我还想视他的发展而定,老子的无为而治的思想对我们颇有些影响呢。

李里现在已进入沙坪坝重师内生活、学习。刚开始他还有些留恋初中时的老师、同学,常常流露出回忆之情。近两周他已结识了新的朋友,生活、学习已逐步走上正轨。对现在的学习,他是很感兴趣的,学来既主动且自始至终充满热情。所学课程他自认为不吃力,还能有较多的时间自己作些安排。我们认为这条路对李里来说是比较可行的。至于说到文学和美术,他二者兼爱,并想成为托尔斯泰那样的文学泰斗和齐白石那样的画坛巨匠。虽想法未免浪漫一些,但古往今来既能文又能画者也不乏其人。从李里现在的情况来看,他的文学素养和功底相对绘画也并不逊色。何况这方面的学习对他今后走艺术之路颇为重要。现阶段他给自己定的计划是:(1)完成学业;(2)坚持练大字,写日记;(3)自学和复习英语;(4)抽时间练画。他基本上按自己的安排在实施。在同龄的孩子中,李里确实在某些方面已超常了。他也很有志向,不受当今社会种种污染的影响,若勤学苦练,坚持不懈,想必是会有一些造诣的。但愿他没有负了长辈们的期望。

当然,在支持他正面发展的同时,我也较注意他的心理承受能力的培养。给他讲明人生坎坷的道理,也要做好不被人承认有可能打烂仗的准备,这在当今社会也是十分重要的。李里也明白这些道理。总之我和他之间许多话都谈,我们既是母子,也是朋友。这种关系,使得他对我十分信赖,这也是他能健康成长的一个重要因素吧。如上次他写长篇小说的事,被我狠狠地批了一通，我当时就是认为他好高骛远，爬还没有学会就要学跑，在他这个年龄确实为时尚早。他基本上接受了我的意见，现在他改长篇为短篇。上周他们老师出题目作一篇《凡人小事》之文，他尝试着写成了一个短篇小说，还颇有些味道。刚才我俩正细细地研讨了一番，他现在正在作修改。我认为他现在写一些散文、短篇小说已基本有点眉目了。

由于他每天的时间安排很充实，我们也没有打算另外再请美术老师。只要他坚持不辍笔，想来绘画方面还是会有长进的。待他学完中文后再视其情况看走哪一步。现在我每周二、周四到学校与他同住，复生也有两天在学校上课，都可经常与他交谈，关心他。外公、外婆偶尔也到师院来看他。他每周六回家度周末，生活安排得还井井有条，请你们一定放心。

我的工作很忙，经常在各区、县派出所跑，科里事情也不少。我科另一位科长因爱人患癌症需照顾，很多工作都顾不上，我的担子就更重了。好在我尚能很好地调整自己不断适应新情况，所以身体各方面尚好。复生的病情已好转，本期已开始上课。当今搞市场经济，物欲横流，他也很有一些坐不住，总想靠自己的技术为家里增加收入。我虽屡加阻拦，但人各有志，且勤劳也是他的一贯本色，奈何！只好由他去，只是不让他太累。药他仍在继续吃，也配上一些中成药。营养方面我也比较注意，请你们一定放心。爸妈仍在上班，老人搞点工作也是精神上的寄托。若他们自觉愉快，我们也不好强力阻拦了。最近两人尚好。二嬢现在若搞些翻译，我认为应为晚年中一大快事，只是一定不能太累着。老人的工作应以适度为好。顾叔的工作颇有趣,想来你们很是愉快的。只是二嬢太操心,儿孙辈的事主要还得靠他们自己。古话说儿孙自有儿孙福,包办太多既累自己对他们也不利,不知二嬢以为如何?

信笔写来,不觉已有 5 页。想说的话太多,只好任其自笔下流出,无组织无章法,啰里啰嗦,让你们见笑了。

祝秋安!

黄旬 1992.10.27.

二

JF:

你好,全家好!

现代通讯手段的发达,让人怠于书信。你母亲一行春节来渝之合影已印好多时,却被置于屉内几近忘却。今复寻出,方觉拖延太久,愿这迟到的照片,给你们全家带去一点喜悦。其中四张季节不同者,除我与李里之合影送给你们,余皆戴瑁所索。此系临行时一再叮嘱,望转交,切切。

昨 LKZ 忽东寻西访查到我的电话,通电后晚上即来我家,为其女儿考大学前来咨询。交谈中叙到我们在綦江铁矿之种种。忆及旧时,真让人有光阴荏苒、岁月蹉跎之感。不久,我们都将跻身老人的行列,唯愿那时朋友们还能皓首相聚,共话春秋。

祝好!

友甸 97.6.12 草草

三

HZ:你好,代问你父母好!

你的来信冰释了我对你们家的种种猜想。虽然我尚不能十分确切地知晓你家的困难,但仍真实地感到了你们的难处。由此也使我对那天与你的通话感到不安。我的做法是否有些世故了?不过还得请你谅解黄阿姨。毕竟已历人世四十余载,不可能如初涉人世的你们般天真、单纯。生活教会了人们太多的设防。

这次李里为你的事真是竭尽全力。这也是引起我们那天通话的主要因素。那晚你电话告急后,李里即将全部情况告诉了我。他很急,急他曾有的一点积蓄已倾其所有地帮助了别人;急他在你十分需要帮助时却无能为力。为了让难以启齿而又终于开口求助的你不会失望,也为了助你渡过难关,他决定无论如何要凑齐这笔款子。对他的做法我不可能完全赞同,但我理解他待朋友、对弱者的一片赤诚。于是默许了他的作为,并做好了可能发生万一的准备。李里当晚即四处电话联系,找亲戚、找朋友,他知道要在一处凑齐实在太难。经过两天的四处奔跑,他终于在你约定的当晚筹措到2450元,我又添上了500元后,他把自己尚有的100元一并专程送到了你处。他确信你半月后是能如期偿还的,于是他也如此告诉他的朋友们。但你却失信了。虽然我已预先做好了准备,但仍然对你的失信不满。诚然你应该将你的困难坦诚相告,但我对你家困难之境确实也估计不足,毕竟我对你和你的家庭并不十分了解。

不知你家里现在的情况如何,是否真的已可以周转? 上次余下的钱请你就作为我的一点心意收下。虽是杯水车薪,但助你日常所用或许可以。我们很同情你家的处境,不知你父母在办厂不济的情况下是否可以选择一条更适合于你们的道路? 现在的国情已发生了太大变化,贫富不均确已存在。只祈上苍保佑天下善良的人们都能过上温饱的生活。

愿你们全家在逆境中奋起,为自己走出一条生存之路。也希你在如此困难中更加努力学习,以有真本事为自己谋生,对父母尽孝。倘能于此之上再为国为民,那当更好。

祝努力向上!

黄甸阿姨 97.9.30 午匆匆

四

F、M、L、B:

你们好。托李里代交短简一封,是为向你们道声"对不起"。

今年因家中连遭不测,李里耽误甚多。而眼下考期临近,更感时间紧迫。近日你们相约花卉园游玩,他十分喜悦,又因珍视友谊,颇想在朋友前一显身手。便约定游玩后自己烹饪,家宴款待。因我力劝,他改变了计划,却又心中忐忑不安:担心因自己的出尔反尔,惹朋友们不快。我讲清原委,想能得到你们谅解。"始作俑者"系我,故向你们道声"对不起"。待李里试毕,定请你们来家欢聚,届时李里主厨,我为副手,美味不敢奢望,家常便饭定能奉上。

春光明媚,百花竞开,愿李里与你们在花卉园里赏花谈笑,尽情尽兴。

黄旬 98.4.2

五

兵妹:

收阅传真,不禁热泪盈眶。既是因着你对我的理解,更是庆幸也许从此我将有了一个可以深深倾诉的女友!

兵妹,出身于我们这种文化人家庭的女子,往往感情细腻,善于感悟。对真、善、美总比别人多一些追求,对充斥当前的假、恶、丑也更多了一些心痛。又由于我们的自尊、自爱更或许是自傲,许多感受从不也很难向别人吐露。即或是谈,又有几个人能理解?因而我们常常缄默着,固守着自己的精神领地。然而我们又何尝不希望有一两个知己?我就这样期盼着,并且希望这个知己一定是女友。

因为我总有这样一个感觉,男女之间虽更易成为朋友,更让交往的双方不时感到愉悦,但他(她)们的交往最终难逃两情欢悦的窠臼。即便当事双方囿于法律、道德或是传统的桎梏,在交往中谦谦自律从不逾矩,但情爱的影子总是盘旋在他(她)们之间,这亦是人性的必然。因而这道槛使许多已婚女子不敢或不愿逾越。更何况男女之自然属性使他们存在了太多的差异:如男人的粗使他们难窥女孩的细;男子之直更令其费解女子之曲。故而即便有异性知己亦感遗憾多多,总盼望有一个可以深深理解的女友,哪怕她们之间并不事事一致(事实也往往如此),但她们总能达到最深的理解和默契。兵妹,你的信使我感到我们之间确实如你所说既"是血缘上的亲戚,更是精神上的近邻"。只是以前由于我们年龄的差异,使我和你还没有紧紧走到一起。这次你到重庆,我感到你长大了,成熟了,

与表妹在乐山岷江上

且有着和你母亲一样的善解人意、多情敏感的秉性。难怪李里喜欢你。其实我也很喜欢你，只是我太忙，且也不善于向人倾露感情，所以让你总觉得我们之间隔得很远，这以后恐怕就不会是这样了。

李里是艺术家的材料，太善于感受，又太成熟，他的同龄人不易靠近他，即使年岁大的人倘无文化底蕴，亦难走近他。因而他心的深处一定是深深的寂寞着、孤独着。他又太年轻，还无法抵御感情的需要，无法甘于寂寞，就在姐妹中寻求理解，寻求慰藉。这次由于外公的去世使他处在更需感情之时，你的到来使他有所寄托。他对你的依恋，我早就觉察到了。但我是信赖你的，我还很感激你在渝期间给了他许多安慰。对他的"没有分寸"我其实是听之任之，因为这毕竟不可能有大碍。李里的有些言谈举止是不能按一般人的要求来约束的，不知这是否是当母亲的我对他估计过高？对你给他留下的那"一片纯净的空间"我深深地感谢。毕竟我们都是相互关爱着的人，这样的关爱在当今实在是太少了，我深深地珍视它。

一直想着给你回信，但我太忙，套用一句俗话，那就是身不由己。每天上班忙得不亦乐乎，下班忙完家务就不想再提笔动脑。答应改写的《我的外婆》亦未动笔，荃叔处要的文章也未寄，我真有点疲于奔命，只好待稍闲时再完成这些心愿吧。

李里今天参加答辩，我在办公室值班，至今还不知他的结果。我利用这个时间给你写信，下一次又不知要待何时。以后若有机会多见面就好了，但愿这期望不是太高。

大姨十八号已做了左眼手术，但效果不太好，她很埋怨医生，想着怎样补救。十八、十九号我都去陪她，昨天未去。今天值班，只好明天再去看她,还不知又是怎样。

　　啰啰唆唆谈了许多。问绍麟、元元好。小家伙很有悟性,将来一定又是一个不让长辈失望的好儿子。

　　祝全家好!

旬姐 1998 年 11 月 21 日晚

通讯录题记

二〇〇一年,里儿执教于成都西南日月城川音美院。五月一日至七日放长假,里儿诚邀外祖母苏家四姊妹及子孙赴日月城团聚。五日,苏家姊妹又约戴家在蓉姊妹相会日月城。戴苏二氏之母系亲姊妹,父亦挚友。苏家姊妹儿时常嬉戏出没于戴家花园,亲情甚笃。五十年后,苏戴两家祖孙三代二十余人相聚于牧马山下月亮湖畔。其时湖光春色伴随笑语欢声,亲人们把手执盏叙旧话今。其情切切,其乐融融,称此次相会为半个世纪以来亲人间的空前大聚会。并由顾刃提议各家签名留下这份难得的通讯录。

黄旬返渝打印并记

2001 年 5 月 9 日

附短简一封:

兵妹:

日月城匆匆一聚,似乎尚未开始却又各奔东西,留下遗憾多多,真是"相见时难别亦难"。今后我们见面的机会想来不会少,只是大家都相聚却不易。然虽余兴未尽,也只好留待下次吧。

在蓉时各家所签通讯录我已打印并兴之所至题记短文一篇,现随信附上。你父母及晓焰的由你为他们复印吧。

匆此不赘。

祝好并候绍麟及元元。

另你父母亦在你家也请代为问候。

右姐

5 月 10 日

短信五则

一

ZY：你好！

来信读罢多日，阅信之感受大约已在电话中简述 。又因日日忙于家务及其他琐事，故想偷懒不再回信。而你那晚的电话又让我不好意思起来，只得挤时提笔胡乱涂来。

自重庆认识以来，你交友的急切、办事的执著及与众不同的生活态度和生存方式都给我留下很深印象。只是由于自己的年龄、阅历、经历都不可能使自己再那么纯真，因而要我们成为真正的朋友大概还得有一个过程，就让时间来培养我们的友谊吧。

如电话中对你们所说，来蓉后的总体感觉仍是忙，虽已退休，身心却从未闲适过。你为我培养出李里这样的孩子很是羡慕，其实他这样的人更需要父母的照顾，他的与众不同也让我们存着更多的担心。毕竟这个社会更容易接纳的是芸芸众生。

随信寄来李里简历。里儿的信已写好多日，因我之故，拖至今日才寄出,让你久等了,先道声对不起。

顺候

暑安!

旬姐

2005.9.3 于蓉城

二

谢老:您好!

短信已阅多日,迟复为歉。原想读完小说再复信,奈每日杂务太多,身不由己,全部阅完小说再复信已不太可能,只好大致浏览,了解梗概。虽粗略阅过,但深感谢老不仅文史哲功底深厚,对自然科学知识也有广泛涉猎。更可贵的是谢老在小说中还寄予了深厚的人文关怀,由此感到谢老不仅是智者还是仁者。只惜匆匆翻过,精彩之处漏掉不少,只好留待他日有闲时再细细品味吧。

诗三首阅后也有不少感想,尤爱《纤夫》一首。阅时眼前已然出现长江岸边那一排排纤绳勒身,身体伏地,艰难地拉着船前行的纤夫们(这一幕我当知青时在长江边经常看到,故颇有同感),并从中感到了谢老当年对劳动者的深切关怀与同情。《天回山居》让我看到一位远离尘嚣、以书为伴、潜心治学的令人尊敬的学者、长者。唯有《游武侯祠有怀黄巾军》因用典很多,自己知识有限,无法全懂,以后再向您请教吧。

李里和我祝您新春快乐，并问候夫人及全家！

黄旬

2007.1.8

三

ZM：你好！

读了你的剧评，就想与你聊几句。你对剧场的观察仔细，让人体会到女性的细腻。剧情也由你的文章基本了解，只是当你说到瑕疵时本想看下文，却没有了，为什么不写出来呢？真羡慕你能在北京人艺的剧场里看中国一流话剧演员的表演。我有好多年未看过话剧了，过去我和你叔叔都喜欢话剧，小时候父母也常带我看话剧，你的这篇文章让我忆起了过去那些令人留恋的、温馨的岁月。

黄阿姨即日

四

XJ：好孩子！

谢谢你这些天来对外婆的照顾。真是很不好意思，我们做子孙的没能照顾外婆,倒给你添这许多麻烦。不过想到你以一颗慈爱的心对待众生,以给人帮助为己任,我又觉得一切感谢的话似乎多余了。你现在所做的一切都是你对自心的觉行和圆满,通过这一个个过程,你既帮助了他人,也不断历练和完善了自己,我真的很为你高兴,同时更感到应多向你学习。元旦你自己安排好就行。愿你过一个身心和美的节日。也愿一切都能美满如愿!代问候你的父母。

祝你们全家快乐吉祥!

黄阿姨

2008 年新年前夕

五

FR:你好!

很高兴收到你的来信。知晓了你的近况,我们大家都放心了。人生事不如意者十有八九,虽不在四川,但能在父母身边也是幸事。毕竟与亲人在一块儿,这也是人们所企盼的。

很谢谢你的关心。网上有各种评论是十分正常的,我们从不在意。既然允许评论,既然你小有名气,那就会引来各种褒贬甚而遭侮辱谩骂,这样的心理准备我们早就做好了。人是应该有一些雅量的。更何况我对于那些评论者而言应该算得上长者,我怎能与那些小青年计较呢?

李老师很忙,他让我代问候你。他说有机会去湖北时将挤时间到黄石看你。

　　最后愿你尽早安顿下来，走入正轨，并祝一切顺心如意！李叔
叔也问候你。

黄阿姨

2008.10.20

我与《论语讲义》

孟春三月,桃花盛开,《论语讲义》,基本告罄。一年来,为此书尽快脱稿,我既做儿子"生活秘书",又兼其"工作秘书",每天如打仗似忙碌。如今书成付梓,我长舒一口气,借儿子要我为此书撰文之际,一则梳理自己之退休生活,一则也捋捋自己与《论语讲义》之关系。

我于二〇〇五年六月退休,八月,为照顾儿子生活并助其做点工作,扔下他父亲独在重庆便来到了成都。孰知来蓉后,儿子情况日变。尤自央视《面对面》栏目播出其专访后,他社会事务日增。媒体相继采访,观众信件数百。慕名上门拜访、求学、求医人员有之,全国各大专院校、机关、团体、企业请去讲学有之,而他教学任务在身,书稿《国学通观》正紧张写作。对此书,关爱他的亲人师长、关心他的领导朋友、全国热爱国学之读者纷纷寄予厚望,殷殷期盼其早日问世。但以此书容量和他目前的状况,该书断不能短期内与读者谋面。为飨读者,出版《论语讲义》便成为全家关注的重要工作。

二〇〇五年底,儿子第五遍义务为民众讲完《论语》。因他的讲课精彩独到,最后一遍作了全程录音。二〇〇六年三月,儿子的助手着手将录音转换成文字。由于儿子讲课从不带片纸只字,全为现场发挥。虽众人皆夸他天资聪颖、记忆力超群、出口成章,课讲得极好,但其中的重复、啰唆、不准确,甚至错误之处在所难免,为此该书的后续修改整理任务十分繁重。儿子太忙,他将第一遍初步校对修整工作交付于我,以助他一臂之力。去年六月,文稿陆续出来,我在半天学校上班,半天做家务及接听应接不暇之电话、安排协调儿子各地讲座的时间、登记来信来访、接待来人来客之隙,开始对照原文将其中自认为不通顺、不准确、不合逻辑甚至与原文不太吻合等处进行修改整理以及对错别字作初步校对之工作。

《论语》,我学中文时有所接触,对其中脍炙人口之名句也略有记忆。来蓉后耳濡目染,更增了解。此次通过校整《论语讲义》,更是眼界大开,对《论语》的丰富内容、深厚人文内涵及儒家理论有了较全面的认识。不仅明白《论语》何以能成为儒家经典,更明白了它在指导人们处理好人与天、人与人、人与心、人与身四组关系并进而成为身心快乐之人、道德高尚之人、有益于社会之人等方面的"超时空、永恒性价值"。虽自认为对儿子了解十分,但仍惊叹他何时对国学知识懂得这么多,对圣人的微言大义如何体会得这样深,讲课中的绘声绘色、深入浅出令我赞叹,结合文字学解经典之手法更让我折服。而最难能可贵的是他把《论语》中那些人们早已耳熟能详并自认为明白,但实则只知其然而不知其所以然,甚至连所以然都未必清楚的一些内容之深意作出了新的诠释,确实讲出了《论语》的微言大义,让普通民众亦能从中获益,并通过听课获得身心之极大愉悦,儿子真让母亲刮目相看了!

我整理本书时获益匪浅,也望书成后能使广大读者喜爱。正因为如此,渴望《论语讲义》早日问世之心更急。但因家务和杂务缠

二〇〇〇年春节在重庆家中

身,每日于我时间有限,几天无法开工之情形常有,故整理速度很
慢。除周末可多做,平日只能完成很少一点。唯暑期儿子父亲来蓉
分担了大量家务,我方有较多时间工作。其时天气闷热异常,我则
全身心投入,工作有较大进展,前十章一鼓作气校完。然此况只十

余天，暑期未完，我又陪儿子到外地讲学，送侄儿到威海读书，校阅之事暂停。直至十月下旬，才重新开始。又经两月辛苦劳作，至十二月初，第一遍校整基本完成。此书迟迟不能付梓，一段时间以来总觉一块石头沉甸甸地压在心上，致使后半部校整比前粗糙许多，其中问题只好留待儿子自己修改。十二月底，儿子开始反复对文稿全面修改整理，修改后是否还有问题及错别字等，又让我再给他把关。于是这边修改稿出来，那边我又于忙碌中开始第二遍修改校对。

而今，整个工作结束，《论语讲义》将印，我心中的石头落地。此书凝聚儿子多年研究国学之心血，我全家亦共同参与，若问世后果能如我所愿，受广大读者喜爱，我和我的家人则心满意足。能吗？我的心忐忑着。

信笔写来，不觉千字有余。借此文盘点自己之退休生活，体味个中之酸甜苦辣，忽觉自己虽远离了悠闲，但能照顾帮助儿子，并促使自己老而益学，每日虽忙累，却活得更充实而有意义，于是我心释然。

搁笔抬头窗外，满园桃花正粲然绽开。

黄旬于《论语讲义》交稿之时

二〇〇七年三月

震后记事两则

捐　献

　　由于住在离市区很远的洪河镇，平日都不易外出，今天周末，终于有时间出去了。一早向市妇联咨询了衣物接收点，准备好捐献灾区的现金和衣物，与里儿一同提着个大包两次转车来到红星路二段报业大厦，将衣物捐给了成都红十字会设在这里的抗震救灾物资接收点。这里好像是一个大仓库，各种各样的物品大包小包地堆在地上，有几个工人在打包。我们正感叹已捐了这么多衣物时，工人们却告诉我们两天来已运走好多车了。此时门外又装好一大卡车，有人正在盖篷布。不少青年志愿者在这里帮忙，我走过去给他们照相，一个小伙子颇为严肃地对我说不应该拍照，并说现在就是雷锋精神太少，言下之意是要做无名英雄。虽然觉得小伙子有点倔，不过对他的这种反应却感到很欣慰。来时沿途也看到不少青年志愿者在募捐、在装物资，加上电视上报道的许多青年志愿者事迹，我真为我们的青年在面临大灾时的表现所感动。

　　离开报业大厦，再乘车来到团市委，陪里儿到市青联捐了现金。昨天学校组织的募捐母子俩也积极到场捐献。几天来一直想着为灾区人民做点什么的心愿终于实现，一颗心才稍稍得到安慰。自地震以来，虽有朋友十分关切地要接李里离开成都住到他们那里去，但李里以这个时候不能临阵脱逃，要和学生们在一起为由，婉拒了朋友们的好意。几日来，我和里儿每天都到学校，虽做不了什么大事，但不时到学生们的帐篷处察看，询问情况，安慰学生们，也算尽点心意。

记灾难发生后国学工作室的师生们

5·12汶川特大地震发生后，四川师范大学美术学院国学工作室的师生们沉着、镇静，以赤子之心心系灾区。他们虽然没有什么惊天动地的举动，却以其平凡、感人的事迹彰显了普通中国人的精神，体现了接受中国传统文化教育后的青年们的精神风貌。

地震刚发生不久，当不少同学还在慌乱奔跑、不知所措之际，就有工作室的同学飞奔到老师家中，关心老师的安危，帮老师收拾房间里被震下的物品，以后每次发生较大余震都有不少同学前去探望。同学们还惦记着工作室导师九十六岁高龄的杜老，当天和此后都几次前去探望。之后不久，虽然还余震不断，工作室的同学们就主动到三楼将被震得乱七八糟的工作室收拾清理，重新布置，恢复了工作室的祥和安宁，并开始了对国学一如既往的学习。全国哀悼日那天，同学们自发集中到工作室，在李里老师的带领下，沉痛地为遇难同胞默哀祭奠。

工作室导师杜道生老先生，虽已九十六岁高龄，但在地震发生后,仍心系祖国,关心灾区,看到温家宝总理在灾区学校写下的"多难兴邦"后,也提笔写下了这四个字送给工作室。另一位导师温茹秀医生,在灾害发生的第一时间,就把诊桌搬到公路边上,坚持为等候诊病的病人看完病。导师们的行为,深深地激励和教育着工作室的师生们。他们一直心系灾区,希望能为灾区同胞做点力所能及的事情。除了积极为灾区捐款捐物外,其中不少人还主动到灾区做志愿者,为灾区人民送物资,教灾区孩子学习,为灾区父老做心理辅导。李里老师虽然工作和各类社会事务十分繁忙,但暑假后,他挤出时间,两次深入重灾区青川县做志愿者,在为灾区人民工作的同时,灾区的人们令他感动,灾区的土地令他眷恋,他怀着满腔激情,写下了《美丽的青川》和《为什么我的眼里饱含泪水》两首抒情长诗。未到灾区前,他虽然身不能至,但心里却时时牵挂着灾区人民,胸中贮藏着对祖国炽烈的情感。为此,他以一颗赤子之心,抱着"文章报国"的意愿,用自己的笔写下了一组《灾后杂记》(共八篇),表达了自己对伟大祖国的强烈热爱和渴望民族繁荣昌盛的心愿。

二○○八年六月于川师东园

小兔趣事

地震后我家来了一位小客人——一只小白兔，朋友家女儿的宠物。孩子上学忙，父母亲也整日忙工作，顾不上照顾它，知我家特爱动物，就送到我家来了。

小家伙刚来时挺惹人喜欢，教它两遍，便自己上厕所。成天吃了睡，睡了吃，还会自己到花园散心，玩一会儿就一蹦一跳地跑回家，一点儿也不折腾人。但也有可气的时候，这家伙忒有破坏性，嘴经常啃东西。不知是否"薰习"了我家的读书气氛，它特好啃书。趁我们不注意，把家里书柜底层的书啃坏了好几本。最惨的是儿子一套"四书五经"的封面给咬坏了，弄得儿子心疼不已。我们只好把所有书柜底层都坚壁清野，用木板挡住。不过这儿清静了那边又惨了，它又开始啃桌子腿、椅子腿，还咬电话线、电扇线，甚至手机充电器的线都被咬断了。好在我家先生擅长修理，哪里断了接哪里，每天不停地"救火"，总算相安无事。即便这样，我们一家仍然喜欢它。与我们熟悉了后，每天晚上它还主动匍匐在我们脚下，要我们抚摸它，给它做"按摩"。这时的它闭了双眼，扯长了身体躺在我们身边，一副惬意自得的模样。

但它也跑丢了两次。第一次儿子为此写了"寻兔启事"，它却在别人家平安过了一夜，第二天被邻居给送了回来。第二次丢失后就有趣了，围绕着寻兔还兔还发生了一段故事，让大家乐了好一阵。

　　那是一天清晨，小家伙在花园玩得好好的，一转眼就没影了。后来对面的邻居说他看见被人抱走了，这下可急坏了我们一家。儿子到灾区做志愿者去了，我忙叫先生仍写一份"寻兔启事"，还画上一只小兔，复印了十几份，在小区的每幢楼门前都贴上一份。为此物业管理人员不允，先生还与她据理力争，终于争得了启事的权利。

　　这启事还真管用，下午，便有一位中年妇女抱着一个纸盒子到我家，里边装着丢失了的小白兔。妇女告诉我们，早晨她儿子看见一只小兔在花园里，以为没人要，他们家也特喜欢小动物，就给抱回去了。看见启事后，才知是我家的，便急着送来。谢过妇女，先生便出去一幢楼一幢楼地撕启事。到了三幢时，趣事发生了。在我家的启事下面有人贴了一张"悼玉兔"，是一首词，词牌"苏幕遮"，先生急回来告诉我。我去看后，觉得很有趣，便依他的词牌也和了一首，告知他兔子已找到了。谁知第二天又有一首新词贴出来，似乎不知兔子已找到。我还来不及回他，至傍晚那儿又贴出一首诗，这时方知兔子已找到，并祝兔子成双对。我本想再和他一首，因杂务太多，终未了愿。不过在心里对这位未谋面的邻居的才情雅趣以及爱心十分赞赏，并将整齐地贴在二幢门前墙上的所有"作品"拍摄下来，留作纪念。下面就是这些有趣的"作品"：

寻兔启事

　　今晨七时许，我家半大小白兔在花园玩耍时丢失，邻居看见被一小孩抱走。小孩喜欢可以理解，但小兔是为朋友家小孩代养，请抱走小兔的小孩玩后速归还二幢一单元一号长衫先生李里家，不胜感谢！

二〇〇八年七月二日上午

苏幕遮·悼玉兔

六月天,碧草地。夏日炎炎,东篱寝难安。离愁正引千丝乱,孩童无情,把酒东湖边。

今宵酒,昨日愁。风月无关,玉兔惹馋涎。凭栏远望云也淡,沉恨细思,最是空念远。

苏幕遮·和《悼玉兔》

碧云天,青草地。兔嬉其间,田园牧歌丽。风云突起兔丢失,人兔情深,哪堪离愁绪。

启事贴,白兔现。凭栏远眺,应会真情意。却见悼兔词一首,笔墨之间,有几多情趣。

玉蝴蝶

抬眼天高云淡,凭栏萧萧,目送玉兔。愁肠悄悄,哪堪已然美肴。风也轻、韶华催老;水渐寒、海阔山遥。追情伤,爱兔何在?独留年高。

难却白鹤故园,竹林溪畔。夕阳晚照。风光渐好,肯爱玉兔博一笑。欢娱少、只影花间;玉兔别、旧情难抛。悄无人,惆怅还旧,俯首哀嘲。

贺兔安

东篱寻兔路漫漫,拂袖登楼泪不干。

诚至喜得完璧归,愿君更爱一水间。

今日楼台非独倚,碧天如水白云烟。

倘有他日成双对,勿忘今日贺兔安。

闻君失玉兔，特填《悼玉兔》。今日闻得玉兔完璧归赵，故将昨日另一词《玉蝴蝶》与此《贺兔安》并奉上，以贺君之爱物失而复得。

发生在小兔身上的故事已过去半个多月，小兔又长大了许多，只是现在不如先前逗人喜欢了。刚来时它和我家的两只猫没多久就玩熟了，那只母猫还经常照看着它，见它乱跑就把它撵回家，不让它跑丢。可最近不知什么原因它却见到两只猫就追，猫儿反倒有些怕起它来，不知是否性成熟了？且还随地大小便，每天弄得我不断为它打扫，搞得焦头烂额。最后不得已，只好把它关禁闭，锁到厕所里，只在早晚让它出来到花园里放放风。怕它丢失，还得派老母亲守着它，弄得老母亲颠儿颠儿地跟着它在花园跑，回来一身汗，满腹怨言，只得笑劝母亲就当锻炼身体吧。

本想把它还给主人家，然而主人却让我们全权处理。没办法，只好把它放到天人轩——儿子的农家小院。其实刚来时，我们就将它放到那里，但儿子还养有一只白兔，已经很大了，小家伙一去，就被大兔撵得直发抖，只好把它抱回家。现在小家伙已长大了，该让它去"闯天下"了。虽然有些担心，有些难舍，但这也是没法之法。

孩子总要离开家，不管是人还是动物，自然法则就是如此。

二〇〇八年初夏于东篱居

己丑五一小记

　　今年上半年,李里儿在射洪青堤著书。五一假期,众亲友学生前往相聚。又因二姨今年八十大寿,虽时不在此,但欢聚难得,亲人们齐议借此良辰美景为之贺寿。于是众人协力,尤以公安厅江姐与当地战友鼎力相助。虽地处偏远,但所需之物一应俱全。在水环山绕,绿荫掩映的乡间小寺,亲友们临江而居,围桌而坐。于是丈夫为爱妻献诗,女儿为母亲高歌,余者亦歌唱之、戏曲之、舞拳之。虽耄耋老人、莘莘学子,皆人人献艺,至情至性。寿者则头戴花冠,真情向众人致礼答谢。继之切生日蛋糕,许美好祝愿,喝祝寿喜酒,好一派其乐融融之景。至晚,众人余兴未尽,又于月色下凭栏而坐,秉烛夜歌。其时余音了了,远远传于浩渺涪江之上,江天美景伴清歌曲曲,真人间仙境也!当此之际,母亲苏家姊妹争显才艺,二姨、姨父同唱之苏联歌曲婉转优美,大舅二舅更引吭高歌。八旬老母不甘示弱,口占小诗一首。谨录下母亲小诗并以此小文为记:

风和日丽艳阳天，五一欢登庆云山。

亲朋好友喜相聚，叙旧迎新贺寿诞。

警民团结展才艺，载歌载舞太极拳。

亲情友情殊堪羡，欢声笑语满人间。

二〇〇九年六月于东篱居

青堤欢聚

外公、印谱及其他

我曾写过一篇《我的外婆》之文，于我的外公，却毫无印象，因我从未见过他。早在七十多年前，我母亲九岁时外公就去世了。虽未见过，而关于他的种种，从老辈人嘴里也略知一二。然仅凭点滴道听途说是绝不会提笔为文的——此文的源起在我那别出心裁的儿子。儿子酷爱中国传统文化，对曾外祖父极富艺术韵味的印谱珍爱有加。当他有了能力时就想到将印谱正式刊印，并请外公的子孙各写一篇序文，既使此印谱内容愈加厚重，更可由几辈人的文章而窥家族文化之传承。我为难于对外公知之甚少，儿子却说没有印象即是印象，于是有了这篇拉杂随想。

外公的印谱我儿时就在家中藏书里看到。与印谱叠在一摞的还有四本《古今百美图》，均为十六开线装书，印谱的开本比《古今百美图》略小一些。书页薄薄的，虽边角上有些许残缺，总体还都保存完好。母亲说这都是她父亲的藏书，从老家四川安岳带来，记得这些书上还有外公的题字。翻开印谱，其中的印章大大小小、方方圆圆，颜色有红有黑，形状有规整有异形。那时我还不懂什么闲章之类，只觉得很好看，加之与印谱同放一沓的《古今百美图》，对喜欢画小姐美人的女孩儿是十分有吸引力的，故这沓书我经常翻看。现在还依稀记得那些美女梳着民国时的发髻，多为柳眉凤眼，娇娇滴滴的。大约"文化大革命"后,《古今百美图》不见了。后来从母亲嘴里得知她怕"文化大革命"也革到家里来,被红卫兵小将发现了这些"封资修残余"会对家人不利,藏下两本又主动交了两本到街革委。在大革文化之命的年代,这些被交美女的命运是可想而知的了。母亲的做法也显得迂腐可笑,倘藏下的两本被发现,罪名岂不更大?大约是因了对父亲遗物的不舍,才使她做出了这样幼稚的举动吧。好在不幸之事并未发生,另两本《古今百美图》和印谱一直保存到儿子出生后。年幼的儿子对这些书十分喜爱,当然更珍爱这册印谱。大约在二十世纪八十年代母亲把印谱给了我小舅舅,儿子为此很有些不舍。不过外婆告诉他,小舅公是遗腹子,从未见过父亲,却继承了父亲的才艺,也善篆刻,这本印谱作为传家宝应该保存在小舅公那里,儿子这才释怀。后来当我们知道小舅舅也很会治印时,还让他也给我们刻了章,是带有花纹的私章,很美,懂印的人都说这些章刻得极好。

小舅舅善治印,而外公的治印术更佳。据说,找他刻印的人不少,他的印谱也不止一本,只是其余的都在土改或其他变故中散失。在安岳,外公一家十分有名。外公、二外公及曾外祖父都很有才华,母亲、二姨、舅舅们曾多次向后代提起当年在安岳、遂宁一带有名的"小三苏",并给我们讲述曾外祖父在老家营建的"听梅轩"、"饮雪堂",讲曾外祖父自撰的"怀才不仕秦,持节仍归汉"对联和"死应埋我梅花下"横幅,等等。由此我们对自己是苏家的后代很以为自豪,而对外公,更是充满了崇敬。在我的印象里,外公很潇洒——他第一个在家乡穿西装,执文明棍,骑自行车。外公的"第一"让我想到了儿子的"第一"。儿子是二十世纪七十年代重庆第一个穿长衫的人。从十三岁就开始,从不顾及路人的诧异目光。当时家人都很反对,母亲为此多次笑说:"你曾外祖父就是第一个在家乡穿西装的人,不过他是追时尚,你却是复古。"现在想来,虽然祖孙俩的表现形式不同,但敢为天下先的精神却相通。外公又多才艺——会多种中西器乐,喜绘画,长书法,善篆刻,又教体育,又教手工。长辈们的讲述使从未谋面的外公在我幼时的头脑中由模糊而清晰:那就是一个潇洒倜傥、帅气英俊又多才多艺的青年,娶了我也从师范毕业又从事教育的漂亮外婆。他们可真是郎才女貌,天生一对。在《我的外婆》中我曾有这样一段描述:

　　成年后,由她姐夫牵线,嫁给了我的外公——当时遂宁师范学校一位颇有才华的青年教师。刚结婚的日子,是外婆一生中最美好的时光。年轻而又浪漫的她常与外公一起吟诗诵词,吹拉弹唱。到她家做客的人,常能听到外公外婆在琴房里弹琴唱和的美曲佳音。

　　外公与外婆琴瑟和谐,但外公在三十九岁时就撒手人寰,这对年轻而又身怀六甲的外婆必是巨大打击,但在我与外婆相处的十二年里,从未听外婆提到过外公,是外婆已经忘记他了吗? 这让我颇为疑惑。后来在安岳老家当了一年农民的儿子从乡亲那里听来这样一段故事:外婆在临终的前两天,曾多次对照顾她的人说,她做了好几次梦,都梦到他穿着西装来接她了,之后外婆就与世长辞了。而外婆所说的"他",就是指的我外公,原来外公深深地藏在外婆心底。

　　对外婆有如此吸引力的外公,一定不仅仅是有才华,有德行,也一定是帅气、英俊而潇洒的,但这始终只是我的想象。长辈们虽然都爱夸外公的才华,却从未听谁谈起过外公的相貌,家中也找不到外公的照片。后来儿子千方百计寻觅到我曾外祖父和二外公的照片,然而他们都相貌一般,想来外公也和他们差不多吧,但这仅仅是我的猜想。近日长辈们的序文陆续写完,我想从他们的序文中找到对外公相貌的描述,却依然无人提及,这更让我生出确证外公容貌的想法。为此我特地问了母亲。已年近九旬但仍思维清晰的母亲证实了我的想象。她说外公个子不高,皮肤黑黑的,嘴唇厚厚的,确实算不得英俊青年。

我得到了一个早已明白的答复,但却毫无遗憾。在我看来,对男人,更应看重其德行和才华。有德行有才华的男人,虽相貌平平,也会因其德行与才华而气质高雅,充满魅力。我外公就是这样一个人,在后辈脑海里他永远是才华横溢、潇洒倜傥、英俊高大的。如今外公的印谱即将印行,而外公的德行、外公的才华及对外公的怀念也将因了这本得以刊印面世的珍贵印谱而代代传承。

二〇一〇年仲春于川师东园

母亲的序

——为儿子《老人与我》文集所作

里儿与老人的交往始于他的孩提时代。那时他大约只十来岁。少小的他与老人们交往的时间绝不比与同龄人的少。他与邻居那些七老八十的婆婆爷爷聊天,与老人们同去看戏,老人生活不便他还会以孩子的纯真去关心照顾他们。为需要生火的婆婆捡拾废纸烂柴,为老人们剪手脚指甲,甚至为要临终的孤寡婆婆端水送饭。他还向我父母的同学请教,向他们学习《论语》和各种传统文化知识。随着年龄的增长,他与老人的接触更多,除了依旧照顾资助一些需要帮助的老人,他开始更多地有意识地去拜访那些他心中十分崇仰的德高望重长者。这些老人不是德行极好便是学养极高。正由于对老人的由衷爱戴和自觉学习,他在不少老人身上不仅看到了经验,学到了学问,更发现了许多善良、优秀、高尚的品质。这些品质教育和感动着他,于是很早就萌生了将他所接触的老人们都写出来的愿望。他说这就是最好的继绝传薪。为此他已断续写过几篇与老人交往的文章,但将所有交往的老人都集中写出却因时间不够而夙愿未了。今年上年因了西冷印社愿出版我外祖父,即里之曾外祖父的印谱,使里儿萌生了将《老人与我》诸文与曾外祖父印谱同印

一册之想法。本来就很忙的他又一次给自己加码。此时正是开办
"传薪书院"后既要完善书院建设，又要为国学工作室学生讲学，还
要为市民开办公益讲座，为全国爱好国学者开班讲学之极端忙碌时
期。为成此书，里儿忙中偷闲挤时为文。有的老人为近年交往，记
忆犹新，提笔为文倒也不难。有的却时隔多年，交往细节依稀而模
糊，为此他翻过去的日记，看昔日的照片，一一找回那些并非如烟的
往事，再横编纵织，精心结构并逐字见诸笔端。这期间梅香湖畔梅
林丛中传薪书院书房内的灯光时而深夜犹亮，时而黎明即燃。书中
之文虽不敢说篇篇俱佳，但却都凝聚着儿子的真情与心血。每篇文
章写成，我必是里儿的第一读者，也是将文字版转化为电子版的劳
动者。每读录一篇文章我都会为那些老人深深感动，也为我的儿子
深深感动，好多次我被感动得热泪盈眶。里儿看似平淡的笔墨把那
些过往岁月一一呈现，使他与各位老人的交往历历在目。这其中既
能看到各个老人的个性，感受到老人们的人格魅力，也能看到儿子
成长的历程。我感动老人们的仁蔼慈祥与嘉惠后学，更感动他们的
安于清贫与旷世孤独；感动里儿对老人们的深深理解，更感动里儿
与老人们的忘年真情；同时作为母亲我也为自己儿子曾经走过的那
些令人感动的岁月感动。我与儿子共享他写作成功之喜悦，也给他
指出我发现的一些问题，提出各种建议并作些料定他会同意的修
改。为此自己虽十分劳累，甚至常常在电脑上弄得眼睛发酸肩颈生
疼。里儿怕我累着，几次想让他人录稿，但我却乐此不疲。我怎能
放弃作儿子文章第一读者之权利？更重要的是我要享受与儿子共
同为文之喜悦，这岂是每个母亲都能领略到的？

母子于传薪书院

　　在《老人与我》集中里儿写了十四位老人，其实他交往的老人远不止这些。他的本意是要将这些老人全部写出。怎奈时间太紧，出版社催稿很急，只得先把对他影响最深、帮助最大的老人写出。不过余下的老人他已经分了类，待稍有余力时，他一定会尽快写出。他认为在中国文化中老人就是经验、学识、德行的象征，写出自己与他们的交往，把自己感受到的心灵震撼、所受到的教育与大家分享，让读者们从中看到那些已离去的或已为数很少的尚健在的世纪老人由祖国传统文化所滋润出的深厚学养、所培育出的崇高品质，从而从自发到自觉地尊老敬老，并向老人们学习，更把祖国文化中尊老的传统一代代传承并发扬光大，这就是里儿编写此书之目的。"都云作者痴，谁解其中味？"但愿读此书的人们能深解其味，为此，作为母亲的我深深地感谢你们。

二〇一〇年冬至前梅花正开时

诗

词

悼白叔

八月二十四日，

一个燥热阴霾的日子，

您不幸去世的噩耗传入我们家里。

顾不得垂垂病危独卧医院的老父，

急匆匆赶至灵前悼您。

敬爱的白叔啊，

您可听见我在含泪唤您?

灵前照片，

依然帅气，充满活力。

您那么热爱生命，热爱生活啊，

如今却长眠于地。

您还有那么多书要读，

您还有那么多事想做，

您还有那么多话愿讲啊，

我们也未及将心中语对您诉。

您怎么舍得就这样离我们而去?

可亲可敬的笑脸,一如昔日,

充满乡音的话语,犹在响起。

多少往事,历历在目,竟日不去。

四十年前,父亲与您同任公安文化教员,

同授文化,同获市奖,结下终身朋友缘。

吃过您的喜糖,犹记叔姨闹新房,

六岁小丫,自此记住了您的慈祥。

您教我怎样在人生路上行走,

更在乌云密布的日子,

告诉我生活定会充满阳光。

您教我热爱知识,勤于阅读,

要终身游历书的海洋。

我画了一幅小画,弹响一个音符,

或写出一段稚嫩的文章,

您总会高兴地赞许,

那由衷的关爱,温暖着我幼小的心房。

随着年龄的增长,

敬爱的白叔,

您成为我深深敬重的师长。

多想再听您风趣的谈笑,

更愿再听您的谆谆教导,

然而这一切都不再复返啊,

留下的只有满心哀痛和永远的思念。

您和我的老父，
近半个世纪的知交却淡淡如水，
而那友情的浓酽啊，
岂是物欲横流时下的所谓"朋辈"能比！
没有相互间肉麻的吹捧，
亦无酒席上虚伪的应酬，
礼品、红包难成友谊的媒介，
共同的志趣爱好、彼此的理解尊重，
才有了心的灵犀和深深默契。

曾记得，多少次，
两位老友你登门，我回访。
清茶一杯，促膝长谈，
讲文学、论艺术、谈现在、望未来，
亦叹韶华难再。
即便相对无言，执手相视，
也会有心的碰撞、灵的契合，
友谊亦在这交流中增长，
直至互卧病榻，仍心系老友常念想。

犹忆起，去年炎炎夏日里，

古稀老父拄拐扶杖看望手术后的您，
挤车涉水，喘吁吁登上您家楼，
您女儿深深感动难止双泪流。
更难忘，今年春寒三月间，
您抱病忍痛步履维艰医院把我父亲探，
送药问候，把手叮咛，
那情那景，令我至今想起仍心痛难安。
这如水的友谊啊，
何等执著，老亦弥坚。

您待人，不论尊卑老幼皆真诚热情，
谦谦君子风赢得了多少友朋同仁。
您好学不厌，诲人不倦，
渊博知识，宽阔胸襟，
令晚辈后生由衷爱戴真心一片。
为爱妻，您呕心沥血，
您老伴灵前哭诉催人泪下难忘却。
犹诉病魔缠身生命最后时，
您还忍痛挥笔练大字，
始而站，继而靠，再而扶，
与癌魔抗争坚强意志，
可佩可敬，可歌可泣！

灵前挽联,字字深情:

"孜孜求学读书万卷,默默无闻清贫一生。"

这是对您真实写照更是最高赞誉!

您虽无官无爵无钱无势,

而您却有德有行有见有识,

平平凡凡堂堂正正公安文教战线一战士!

白叔啊,

为您送行我恸哭失声,

多想最后再看看您,

却泪迷双眼哀痛难禁。

深深地,一鞠躬、二鞠躬、三鞠躬,

亦难表心中无限哀思万千崇敬。

一腔情,满纸泪,

化作几行诗文。

我把它,默默烧给您,

愿您安息也愿您在天有灵。

一九九八年九月六日深夜

献给教师节的一束小花

——代十岁儿子作

当我第一次迈进陌生的校园，
便熟悉了您那亲切的笑脸。
甜甜的嗓音消除了我离家的惶惑，
温暖的双手领我踏进知识的宫殿。

a、o、e,i、u、ü,
1、2、3、4、5、6、7,
一个个字符,一道道难题,
为了幼小的心灵装进抽象的知识,
您想方设法,呕心沥血。
多少个白昼,
为使我们摆脱冥顽,步入正轨,
您循循善诱,谆谆教诲;
多少个夜晚,
为批改作业准备教案,
您伏案疾书直至月儿西下晨曦微露。

啊,亲爱的老师,

忘不了,在一个冬日的夜晚,

您摸黑踏进我家高高的楼栏。

只为我一个顽皮的孩子生病在家,

顾不得休息还给我带来了水果和糕点。

忘不了,您坐在我身边,

给我补习因病耽误的功课,

又给我改完一道道错题、一个个标点。

望着您疲倦却又亲切的笑脸,

感激的泪水一下子汪满双眼。

您轻轻为我擦干点点泪花,

轻柔的手啊就像我亲爱的妈妈。

啊,敬爱的老师,

您把宝贵的知识传授给我们,

您又给了我们做人的指南。

春夏秋冬,年复一年,

丝丝皱纹爬上您的眼角,

缕缕白发掺进您的鬓边。

虽然您早已是桃李满天下,

但却从不居功自傲依然故我,

几十年如一日站在低年级教室的讲台边。

敬爱的老师啊,

您是如此平凡又是如此伟大，

就像那小小的无私的蜡烛，

燃尽了自己却把光明带给了人间。

在第二个教师节前夕，

我写下这小诗一卷。

请不要笑话我的笨拙，

虽然这算不得好诗，

却是做学生的心意一片。

它就像一束含苞欲放的小花，

我把它献给敬爱的老师，

祝你们健康、愉快，直至永远永远。

一九八六年九月八日夜匆匆完稿

叹明生宗惠事

死去虽知万事空，
应悲妻儿难再逢。
迢迢千里奔丧来，
空洒悔泪秋雨中。

一九八五年秋明生逝后

注：黄明生，丈夫儿时伙伴、青年朋友，亦是我家挚友。读书、工作、安家湖北。因患肾病，三十八岁上诱发肾衰竭去世。生前与妻高宗惠已离婚，逝后宗惠携儿赴渝州吊唁，悔痛难禁，伤心欲绝。二人本无大隙，却为双方性格倔强而分手，造成明生无人照顾，英年早逝，宗惠悔之晚矣。吾感而作此诗。

诗词两首

绝　句

雾茫茫绕山，

雨凄凄如线，

风惨惨逼人，

心沉沉无边。

天净沙·冬思

愁云惨雾山中，

苦风凄雨隆冬。

鸟泣树瑟石寒。

尽夜难眠，

独彷徨泪涟涟。

一九七三年十二月二十一日

注：诗词两首为余綦江铁矿工作时触景生情而作，因尚存，一并录下。

退休感怀

半生工作卅六年，从警春秋二十载。
户证宣教干中学，警民上下互关爱。
家国我心力无愧，毁誉称嗤岂有碍。
别宴诗酒谢同仁，乐返田园得自在。

二〇〇五年六月廿四日

啊,我亲爱的同学们

啊,我亲爱的同学们
我为你赞美,我为你歌唱!
我们多么幸运
"生在新中国长在红旗下!"
谁说我们生不逢时?
自豪、骄傲也曾写在脸上。
纯洁的五十年代啊
祖国和人民
生机、活力、蒸蒸日上!
大伙儿的日子鲜艳、火红
就像那花儿一样。

花季的我们
相识在美丽的校园。
英雄、奉献、理想、情操
写满青春字典;
火热的胸膛里

跳跃着

人民、他人、祖国、家园。

我们的名字

镌刻着时代的印记，

是父母的赐予

更是希望和祝愿！

心儿憧憬着"明亮"，

血管流淌着"贤德"。

"革新""健雄""显明""忠民"

是我们的追求，

"正起""兴国""安东""大同"

是我们的宏愿！

"红梅""桂枝""铃兰""春华"

花儿朵朵，

"必忠""能义""明傑""成美"

向往无限！

这群可爱的少男少女啊

有"德"有"容"

似"凤"似"珠"

风华正茂勤学苦练。

寒来暑往花开花谢

青春生命为祖国

谱写出丹心一片！

曾经幼稚轻狂

也曾困惑迷茫，

经历了痛革文化之命

又乘大篷船上山下乡。

返城进厂简易成家

挑灯夜读娇儿啼哭手脚忙。

艰苦生活是磨砺

更是一缕心香，

人生路上岂能少了风霜？

阴霾过去回首往事

是命运也是过程，

我们与祖国一道成长

无怨无悔苦乐荣光！

如今的我们

过不惑知天命

不觉已届耳顺。

相逢是诗相聚是歌

年年岁岁欢聚。

歌舞宴乐举杯忆昔

多少忠孝仁义：

无父幼儿负重苦读，

"广阔天地"身背外婆；

下岗创业互帮互助，

勤勉清廉报效祖国；

夫妻互励老有所学，

孙贤女孝三代谐和。

不管经历如何

无论艰难折磨，

准则不改平凡如歌

过去未来你唱我和！

我们中无高官无富贾

亦无人春风得意；

有缺点有瑕疵

清贫平淡甚而平庸无奇。

然而我们

有血肉有情义

更懂做人道理。

任凭岁月蹉跎光阴荏苒

理想尚存美好向往

一切天经地义！

啊，我亲爱的同学们

我们一九五〇年代生人！

走过人生路蹚过岁月河，

任它白发染双鬓皱纹织眼角。

我真诚地爱你们啊

放声为你歌！

祝家和子孝身心康健

终年笑呵呵。

愿我的祝福我的祈祷

永暖你心窝！

二〇〇八年三月于红梅花儿盛开校园时

注：诗中第三段双引号内皆为班上同学名字，其中有原名，有组合，有谐音，共涉二十六名同学。

儿子李里点评：

纯洁美好的时代，热情洋溢的青春，

无怨无悔的人生！

激越的情感，巧妙的构思，

简洁的语言，响亮的音节，丰富的蕴涵。

我们的小巷

亲爱的同学你可曾记得：

在故乡我们的校园旁

有一条悠长悠长又曲曲弯弯的小巷。

小巷的道路高低起伏凹凸不平，

那是我们家乡小巷特有的模样。

小巷一侧是学校那一溜也弯曲着的围墙，

另一侧是高低不平错落参差简陋狭窄的平房。

那里住着我们——你、我、他……你可还有印象？

还记得围墙上斜刺里伸出的大树，

为我们遮风为我们挡雨

斑驳的阳光透过树叶

洒落在悠长弯曲的小巷？

清晨我们背着书包系着红领巾

你呼我唤蹦蹦跳跳穿过那细长而弯曲的小巷。

去到小巷尽头学校那一溜围墙里的两栋楼房。

下午我们分小组做作业

踢毽、跳绳、打闹、嬉笑
又回到这悠长悠长曲曲弯弯的小巷。
秋去春来花落花开，
我们穿过小巷又回到小巷。
不觉间已是六个年头，
小巷伴我们走过难忘的童年时光。

长大后我们各奔东西去到遥远地方，
小巷的音容笑貌随时光流逝已被渐渐封藏。
不经意间一个家乡电话，
让我又忆起那如梦如幻的童年小巷。
那一夜我恍恍惚惚进入梦乡，
在梦里我们——你我他……步履蹒跚相互搀扶，
又回到那有着一溜围墙低矮平房
阳光斑驳童音叽喳洒满欢声笑语
悠长悠长又曲曲弯弯的小巷。

二〇〇九年孟春春花初放时于川师东园

为明亮六十岁生日作

九载同窗半世谊,潇洒明亮小曲吹。

昔景历历忆犹现,今情款款去还归。

他乡忽闻花甲至,校园遥祝鸿雁飞。

身心健朗期米寿,共贺夕阳再举杯。

二〇〇九年孟春于蓉城东篱居

我爱这秋日的黄花

——为重庆公安风雨六十年作

我爱深秋原野上

如玉的白菊和灿灿的黄花。

我爱它素洁高雅,我爱它耐寒凝霜,

即使残挂枝头,依旧含香吐芳!

我采撷起这美丽的花朵

一簇簇,一捧捧,

把它献给我亲爱的

公安队伍的战友!

第一捧花,献给我父亲和他的挚友。

一九四九年秋天,

年轻的父辈满怀赤诚

听从新中国召唤

跨入了第一代人民公安的行列。

如花儿般朴实更如花儿般纯洁,

祖国需要就是他们的选择,

他们无悔地耕耘着公安文教事业。
灯下备课的身影诠释着他们的辛劳,
课堂不倦的讲述记载着他们的岁月。
没有惊险侦破没有轰轰烈烈,
党和人民的褒奖见证他们
为祖国为人民奉献出青春年华!

昔日的战士学会了文化又一批批
成长为公安骨干,
这就是父亲和他的战友
对共和国公安文化事业不朽的贡献!
曾经受过委屈,亦遭风雨摧残,
无论艰难困苦难改为国为民丹心一片!
如今他们中多数已经长眠,
但他们的精神却一代一代传承,
就像这秋日的黄花
盛开在祖国大地一丛丛一片片!

第二捧花,献给我公安战线的师长,
他们亦如这秋花般淡雅,
虽不风流却风采尽现。
难忘一九八〇年代的一个秋天,
我也光荣地成为一名人民公安。

来到多年先进的市局户籍科，

这里就是我从警生涯的开端。

从那时起我的各位师长

教我写材料学调研，

字斟句酌一板一眼。

严谨细致的工作作风，

让我懂得什么叫对人民负责；

孜孜不倦的工作态度，

更教我理解了为人民服务的内涵。

严要求，压重担，

以身作则，诲人不倦。

一个个年轻的民警迅速成长，

当年的三处户籍科

成为培养公安领导干部的摇篮！

而我敬爱的师长中不少人

却几十年如一日在普通岗位上依然。

如今师长们虽年事已高，

仍忠心耿耿老骥伏枥壮志不改，

创学会、办杂志、念念不忘教育青少年。

即使病魔缠身仍坚持战斗，

为祖国为人民奉献无悔无怨！

第三捧花,献给我曾并肩战斗的

户政处亲爱的战友。

曾记得当年的我们生机勃勃,

就像这秋日盛开的黄花

韵味天成活力盎然。

多少次夜深人静清查户口,

保人民安宁哪怕炎热闷湿

哪怕刺骨的雪风让一身警服冰花欲结。

为让暂住人口把城市当作家园,

我们区市县调研派出所蹲点,

没日没夜战斗在基层第一线。

顾不得父母有病孩儿待哺,

为祖国为人民当警察哪能忠孝两全!

为一个姓名的同音或出生年月日误差,

我们一丝不苟反复核查;

为百姓急需身份证节假日我们也送证到家。

户籍管理、人口统计、违青帮教、库区移民,

这就是我们的工作我们的职责!

户政岗位上热情服务严格执法,

警徽闪亮警察与人民永远一家!

如今纵然我已离职退休,

难忘金色盾牌战斗岁月,

二〇〇五年为纪念退休而摄

警察情结胸中珍藏

恰似这抱枝宁枯的秋日黄花！

我爱深秋原野上

如玉的白菊和灿灿的黄花。

我爱它素洁高雅，我爱它耐寒凝霜，

即使残挂枝头，依旧含香吐芳！

我采撷起这美丽的花朵

一簇簇,一捧捧,

把它敬献给我公安队伍

平凡而令人敬佩的一代又一代战友!

二〇〇九年仲夏完稿于川师东园

给美丽的柳娟

柳娟　我的表妹

你那样文静　如柳一般纤柔

又那样美丽　似花一般娟秀

你少言寡语

却善良多情又多才多艺

你轻轻地去了

却留下了

手扶大提琴如痴如醉的身影

俨然一个为音乐而生的美丽女神

曾记得

德阳城里　旌湖岸边

杨柳依依　乐声阵阵

那是你曼妙淳厚的大提琴声

和着二姐的琵琶　大姐的古筝

三哥的二胡　四姐的小提琴

那美妙的乐曲啊余音绕梁浸润人心

恰似那

丝竹声声咏春雨
弦歌阵阵颂太平

如今你轻轻地去了
但你那美丽优雅的倩影犹在
你那低回婉转的琴音尚存
你的姐妹兄长也将重新拨响琴弦
继续把你的音乐梦想延伸
而那遥远的天堂里
从此多了一个温婉的女子
在缥缈的天际
为人间撒下一缕缕幽美的琴音

柳娟　我的表妹
如柳一般轻柔
似花一般娟秀的你啊
一定是踏着彩云　裹着清风
宛若那素洁的仙女轻盈地飘然而去
而给爱你的人们
永远留下了你手扶大提琴
那如痴如醉的身影——
一个为音乐而生的美丽女神

二〇一〇年孟春三月

和友人

你的诗文令我泪眼模糊，心儿忧伤。
那些曾经的过去，
那些依旧的青石板上的温暖和落寞，
甚至那些无声的似曾相识的眼睛，
都令我感动、让我叹息……
啊！美好的令人深深忆念的童年时光！

曾记得多少次
我回到家乡，
怀着深情、掖着感伤，也到过这些地方。
如今它们都将成为过往，
除了你那些苦心搜寻、满怀深情的照片，
今后哪儿还能再让我们去忆旧、寻访？

高大英武的你啊，
何以怀着女子一样的柔肠。
是对真善美的执著向往？

更或是旧时情结已深深萦绕心房？
我对你的认识和理解，
将从此写下新的篇章。

2010.5.19

悼李代志书记

为什么我的眼里饱含泪水？
只为着生的无奈死的哀伤。
花丛中躺着的您那么安详，
我却悲痛难尽泪水直淌！

我们相识在五年前，
宽厚、仁爱、平和、睿智
是您给我的全部印象。
您让我参加学院工作，
从此成为美术学院温馨友爱大家庭的一员，
您关心犬子李里的成长，
总想着让他的国学事业走得更顺畅。
还记得您在春茶会上的娓娓叙谈，
几天前医院的一幕更令我难忘。

那是一个雨后的夜晚
我们去医院把您探望。

眼前的情景让我惊讶令我窒息

甚至怀疑自己走错了病房。

只几个月时光

病魔就吞噬了您的躯体，

原本白皙的皮肤已然黑黄黑黄。

往日那微胖的身躯

只剩下如今这骨架一张。

这是您吗？

这是不久前还谈笑风生

还在为学院建设出谋划策的那位仁厚长者吗？

我不敢相信也不愿相信。

呆呆望着昏迷中的您，

刹那间全身浸透死别的哀伤！

只见您眼睛半睁半闭嘴唇微张，

一阵阵抽搐不时掠过您那瘦削变形的脸庞。

手偶尔在头边轻轻舞动，

是要驱赶这可恨的癌魔

还是想求助亲人心里发慌？

啊，您一定很疼很难受吧？

多想帮您解除哪怕一丁点儿痛苦，

然而在病魔前我们却丝毫无能为力，

恨自己为何只能这般模样！

有那么一阵您忽然清醒，

睁开眼与我们凄然相望。

啊,您认出我们了!

颤抖的双手伸出,

浑浊的泪珠滚下。

您虽发不出声但我知道您在说:

您留恋这难舍的人世,

更舍不下朝夕相伴的亲人;

您牵挂美术学院的发展、晚年相识的艺术家

以及后生李里和他的国学事业,

还有一个个热爱您的青年教师和那些学生娃!

……

此时我们和您

双手紧握泪眼相望。

可恨的癌魔

你为什么要袭击这样的好人?

这是为什么啊?

不是说心胸开朗就能抵御癌症吗?

酷爱音乐热爱生活的您,

为何也患上这样的疾病?

难道心地平和的您也深藏着人生的苦痛

也掩饰着心底的秘密

抑或您健康的躯体已难抵这生态的破坏和自然的恶化?

此刻的我满脑子只涌出
人生无奈无奈人生一句话。

第二天您就去了，
夫人说您走得十分安详。
一生为他人着想的您啊，
弥留之际也不愿亲友为您难受
不知不觉间已然魂归故乡！
您走得毫无痛苦令大家心慰，
您走得那么快却令我们心伤。
黄泉路隔虽知今生难相见，
但从今往后您没有了病痛了断了一切再不会无奈！

花丛中躺着的您依然安详，
泪眼婆娑深深鞠躬
我把您久久凝望。
别了！敬爱的李书记，
愿您一路走好！
永别了！李书记啊，
您一定要走好！

2010 年 9 月于川师东园

附录

《旅途记游》序跋

写在前面

读完这本旅途记游，内心感到无限的喜悦。

在酷暑炎夏的七月，李里从山城出发前，我担心这十六岁多的孩子，年龄小，涉世不多，没有生活经验，一再嘱咐他，沿途要注意安全，要注意生活。今日安全归来，不但没有发生意外，还写了厚厚的一本日记，这其中有许多好的内容。

他由渝州乘船东下，经三峡、武汉、九江、南京到上海，并去了苏杭。旅途见闻里，他着重记下了鲁迅故乡绍兴镇的三味书屋，郁达夫富阳县老家和丰子恺石门故居的情景。很难得的是他会见了郁达夫先生的媳妇王夫人。据说此人平时不愿接见任何人，并隐瞒了姓名，以免游人打扰她。但见到李里这位不远千里来访的十六岁四川少年，很受感动，不但热情接待他，还和他拉了两个多小时的家常，并摄影留念。临走前，还送了郁达夫生前穿过的一件长袍。这真是一份珍贵的礼物。之所以说它珍贵，因为郁达夫是我国二十世纪三十年代的一位知名文人，是一位有名的爱国主义者。抗日战争后期，他去南洋苏门答腊，为了组织地下抗日活动，被日军杀害。一九三八年五月间，著名的台儿庄大捷，他曾写诗祝贺。诗曰：

水井沟头血战酣，台儿庄外夕阳悬。

平原立马凝目视，忽报奇师捷邳郯。

在途中，李里还记下了几处江南名胜古迹，如烟雨西湖、乘小舟观富春江、严子陵钓台、姑苏城外寒山寺等等。在旅途劳顿艰辛时，有几位老人和青年帮助了他。这些好人好事，使他感激不已，铭记心中。而今常有人发出"今不如昔，一代不如一代"的议论，我看是大可不必的了！真可谓长江后浪推前浪，今日青年胜老年！祝我们的后代，鹏程万里，前程锦绣。

爷爷黄晋诚于一九九三年八月十六日

后　记

十六岁的花季，是人生最美好的时光，充满希望、光明、幸福、欢乐、青春活力，还无所畏惧。李里正是在这样的年华，一人独自漫游江南，拜访了鲁迅、茅盾、丰子恺、郁达夫等著名作家的故居。原以为他只是旅游苏、杭、沪，饱览祖国大好河山，但他却暗下决心，怀着不达目的誓不罢休的勇气，经历曲折艰辛，终于寻到了所喜爱的作家创作的足迹。拓宽了视野，增长了知识，了解了作家的生平，受到了锻炼，找到了他练笔的蓝本，这对他现在学中文专业是大有裨益的。现代青年不应是温室的花朵，而应是敢想敢做的栋梁。原来他爷爷还为他小小年纪单枪匹马走远路而担心，而我却信他能闯出去。果然他以他的毅力、诚心、不怕吃苦的精神……实现了他的愿望。狄更斯说，顽强的毅力可以征服世界上任何一座高峰，信然。

"世上还是好人多"，这是李里旅途中感受最深的一句话。是的,当他囊中羞涩的时候,得到慈祥的渡头婆婆的引渡,减轻了他付高价船费的负担,而能凭吊严子陵钓台遗迹,欣赏富春江的美景;当深夜旅店客满将要露宿街头的时候,富于同情心的汽车技校的学生带他到学校解决了食宿问题;当他为差几毛钱买不到返沪的车票焦急时,一位好心的阿姨给他凑足了车票钱,使他能顺利上车。还有那上海书店的服务员,不厌其烦地为他寻找《中国现代文学史参考资料》,而且预约给他返渝后还能在上海书店买书的方便。更不用说郁达夫先生的儿媳王夫人对他的热情接待和赠送纪念品了。还有那沿途所遇的同路人、亲友等对他无私的帮助……这一切,多使人感动! 他以他的诚心感动别人,别人的热情相助更感动了我们。尽管遇到过强迫他买"龙井茶"的骗子这一插曲,但那只是小事一桩,世上还是好人多。

日记中有文有画,有景有情,有叙有议,显得较为生动活泼,虽然这不像小说有矛盾冲突,有悬念,但李里在途中遇到的困苦曲折,却也给人留下了悬念,迫使你想一口气读下去。鲁迅的故居容易找到不必说了,但要在那陌生的江南,要找在小城镇的郁达夫等著名作家的故居却不是易事啊! 这些作家的故居能找到吗? 迷了路又怎么办? 若找到了,作家的家人能接见他吗? ……边读日记,这些疑问边在脑际回旋。最后的答案是如愿以偿,获益匪浅。这样,悬着的心始放下来了。这些吸引着我,也吸引着读他日记的人。李里还是初学,文字上很不成熟,而且是旅途信手拈来之笔,匆匆记叙,文中自不免有肤浅疏漏之处,这是有待以后不断提高的。

婆婆苏应萱于一九九三年八月二十六日

读李里《旅途记游》后

千里跋涉，

鲁迅、子恺、达夫、茅盾故乡行。

饥饿、疲劳、病魔没有挡住

你对文学艺术挚热的追求。

生活、实践是文学艺术创作的源泉，

到大自然中去，到生活中去吮吸营养，

既作文又作画，

一旦没有了这些营养，

任何文学艺术都将显得枯黄。

你开始迈出了可喜的第一步，

还有第二步、第三步……

你需要大自然和人民，到那时候，

人民和大自然也需要你。

奋斗吧！

……

爸爸李复生一九九三年十月十二日

写在二读《旅途记游》之后

——给我的儿子

李里：

　　我亲爱的孩子，你嘱我在读完你的《旅途记游》后一定要为你写点什么，甚而屡屡催促。我当然是要写的，妈妈怎能悖了你这并不过分的心愿？然而只因每日里无端忙碌，也因怠于提笔，一拖至今。现在爷爷、婆婆、老师、同学都为你写了，妈妈怎好再一味拖着？今天恰好是决定北京申办 2000 年奥运会能否成功的日子，在这特殊的日子里，妈妈决定将蓄积心中多日的话一并写给你，既饱含着对你的爱和深深的期望，也表达我渴望中华民族崛起于世界民族之林的意愿，你明白妈妈的心意么？

　　近几日，利用中午休息之时，我又细细读了一遍你的《旅途记游》，一面稍作修改，一面也有颇深感触。其实早在你还旅居途中，从上海、绍兴寄来信件之日，妈妈就深深地被你感动了。甚至巴不得向所有熟悉你的人宣布你的行踪，将你的信让他们一一阅读，让人们共享我的欢乐。你的这次出游，因为只身一人，又是第一次远行，原本只设想让你走走几个有亲戚朋友的大城市，谁知你却一个人东寻西访，克服了许多困难，受了不少苦累，甚至带着病，在短短的时间里找到了自己心目中的"圣地"，拜谒了渴慕已久的作家故居，这是怎样的一种执著啊！我惊喜地发现，我的儿子长大了，他居然能够为了理想顽强追求,不顾将要遇到的一切艰难险阻,这是多么可贵的精神! 在旅行中,你认识了社会,学会了该怎样处理各种事情,这原是我最担心的。我总在想:你会迷路么? 会遇到坏人吗? 知道旅馆怎么住? 东西放哪里? 途中会否出事? 或许会否生病? ……总之,我为你的一切小事担心,为你的衣食住行挂牵。然而你却并不像妈妈想象的那样娇嫩。你能吃苦:渴了吃点西瓜,饿了啃口干饼;你不图安逸:不舒适的旅馆你能住,没有车的路你步行;你又善观察:总结识一些善良的人使自己得到帮助。你终于平安而收获颇丰地回来了。要知道,你才十六岁! 我真高兴这次旅游使你广泛地接触了社会,更锻炼了自己独立于社会的能力,这才是妈妈所希冀的。早在初中毕业之时,你就幻想着像艾芜先生一样去"南行"或"西行",对你的幻想,我直觉应予支持,但却总存着各样的担心,故而断不敢放你独行。而今你却用自己的能力,拂去了我的担心。我终于明白,我的儿子已不再是妈妈身边的小雏,他将要展翅飞翔了。从这时起,我就有了这样的决心——往后不论怎样艰难的历程,无论多少曲折坎坷,我都将不再阻拦我的孩子。李里,朝着自己认定的目标坚定地走下去吧,妈妈将永远支持你!

你的记游忠实地录下了你在途中的一切。这册十分珍贵的日记,读着它,就仿佛捧着一颗热烈而鲜活的心。在其中,我读到了你的思想——有时似乎露出与你年龄不相称的忧郁;有时又有颇富哲理的思索。在这里有雄奇壮丽的三峡,也有秀美怡人的西湖。而清丽的富春江、古朴的石门湾……又都是多么美的一幅幅图画。文中那一段段优美而传神的景物描写,是妈妈的最爱,而偶尔几段人物素描却又令人回味无穷。这些成功的篇章,既得益于你对事物的仔细观察,更离不开你既写又画的多年练习。这些于景于物于人于事的细节描写在文学创作中必不可少,务必多多练之,正如同你从未间断过的钢笔速写。读完你的记游,在为你惊喜感慨之余,妈妈又隐藏着一丝深深的忧虑。你文中的调子有时过于低沉,与你正十六岁花季的年龄太不相称。在你这样的年纪,乐观、热情、憧憬生活、热爱生命才应是你的主旋律,你以为如何?在你远行时,在读你的记游时,我看到了一个有思想、有见地、有追求、敢行动的成熟青年,而当你实实在在地站在我身边,我又觉得你仍然是个孩子。你有时过于偏激,有时又太浪漫,理想与现实的差距常使你难以适应。有时我和你爸爸甚至为你那种不同常人的"发泄"深深地担心。你感情丰富细腻,易冲动而欠思索,往往凭一时的激情做出一些超乎寻常的举动,以致带来一些不愉快的后果。妈妈以为,凡事都有一个适当的"度",在处理一切人和事时,都应好好把握这个"度",做到热情而不冲动,敏感而又善思,你能努力地去做吗?

你的这次旅游与记游都得到不少人的赞誉,这固然令人高兴,我知道你也最喜欢听赞美之辞。然而过多的赞美往往会令一些无自知之明者昏昏然、茫茫然,甚而在赞誉声中夭折,历史上不乏这样的先例。因而妈妈要告诫你:孩子,你现在仅仅在人生的道路上迈出了第一步,你今后的路还很长很长,在知识的海洋里你也仅仅是蘸到了一滴水,你的一切也都刚刚开始,无论作画作文还是做人。你切不可有半点骄傲,知识是无穷尽的,人生的攀登也将永无休止,望你切记!

最后妈妈还要指出你记游中的三个明显不足:一是错别字太多;二是字距太密,易使人误读;三是有的地方文笔还显粗糙。诚

一九九三年与儿子摄于旧家

然,这正如婆婆所言是你"旅途的信手拈来之笔",但绝不可以此为自己开脱,有时间时再作一次认真修改使之更臻完美。写错别字的习惯一定要改,拿不准的字就多翻字典,切不可随意以同音字替代或生造,望你严格要求自己。最近的字也写得太潦草,要注意。妈妈对你的要求是:认认真真做人,踏踏实实前行。

　　　　　　　　爱你的妈妈收笔于九三年九月廿三日

　　　　　　　　申办奥运会城市揭晓之前夜 23:30

何不潇洒走一回

——序李里《旅途记游》

他潇洒地走了一回,潇洒得令人吃惊。然而又不足为奇,因为这原本就是一个不同凡响的孩子。

他虽然才十六岁,但仅仅就经历而言,他的同龄人大约没有一个能有他这样丰富多彩。

十六岁,他就经历了别人很难在这个年龄尝到的大起大落的滋味。

他从小习画,他的作品在日本、西班牙获过金奖,可是他考美院附中,却因色彩分数不够而榜上无名。

他酷爱文学,他的习作在电台播放,在刊物上发表,可是他考高中,却因数理化的缘故,未达分数线,重点中学的大门便永远对他关闭了。

幸与不幸这对孪生姊妹就是这样爱捉弄人。

据说不幸并不一定是一件坏事,我有些信这种说法。老子不是说过"福兮祸所伏,祸兮福所倚"吗?我不知道他如果真的进了美院附中,会不会活得像现在这样潇洒。但我敢断定他如果真的进了高中,那就绝不会活得像现在这样潇洒。

有人说,这孩子有些少年老成。如果这话不带贬义,对他确是比较合适。

　　当别的孩子还在画飞机大炮时，他却对民风民俗感上了兴趣。他揣上速写本走街串巷，去寻找那些还未被现代化了的"古迹"。那狭窄的街巷，破旧的房舍，对他产生了极大的吸引力。他在那里一待就是半天，在他的速写本上于是也留下了许多快要绝迹的作坊式的生产场景，以及一些小手艺人的形象。他画挖耳的，他画修鞋的，他画破损的泥墙，他画残缺的石梯。他什么都画，唯独不画高楼大厦，不画时髦女郎。

　　他又是那么执著，执著得令人感动。自从在书上看到了老舍先生泡茶馆的轶事后，他也要去体会，于是他成了后校门平街上一爿小小茶馆的常客。他听他们摆谈，他也同他们摆谈，他和老板，和茶客们混得烂熟。我实在难以想象，一个不到十六岁的孩子在一群年逾花甲的老人中间竟然这么融洽。可这是真的，他也因此画下了不少这些老人的肖像。

　　一个十六岁的孩子，只身出去闯荡，这在今天也许不足为奇。但奇的是他那不带世俗的、功利的目的。这确实是难能可贵的。因此凭真诚，凭执著，他走进了戴望舒那悠长悠长的雨巷，敲开了丰子恺的缘缘堂那尘封的大门，也赢得了郁达夫儿媳的青睐及沿途不少好心人的善待。每每如此，他都发自内心地感激道："世上还是好人多！"

　　他的执著，有时到了亏待自己的地步。因为爱读书，因此也好买书。记得大约是他读初中二年级时，他的美术作品获了大奖，领得了几十元奖金。不几天他便去买了一套钱钟书的文集，将奖金用得一干二净。还有几次为了买书,他把家里给的伙食费也几乎花光了。到吃饭时,他总是最后去食堂,这时菜已卖完,他便可以理直气壮地买点剩下的残汤。大凡这时,炊事员或许就不收或收很少一点钱。他便十分高兴,不仅不以为苦,反而说这样有滋有味。这次江南之行,他不是常以西瓜当餐吗?他说得好听"一解渴,二充饥,既解馋,又省钱"。其实省钱是主要目的。于是就省出了几大包压得他喘不过气来的书。这些恐怕是没有多少人能做到的。

他好买书,却不胡乱买书。能在他书柜里占一席之地的大都是公认的、有价值的书。这很能说明他有着不同于他的同龄人的眼光。这眼光使他瞅准了收荒小贩箩筐中那本被埋没在旧书废报纸中的线装本《文心雕龙》,便立即游说小贩,硬是将它弄到了手。那小贩也不知道这是本什么书,有多大的价值,似乎纸张也不好,也就贱卖了。他的好些书都有一段曲折动人的故事,这从他在上海买书的经历中便可看到。

买书、看书,不断地买,不断地看,这自然会使他的文学素养得到充实提高,直至产生大的飞跃。他的这一飞跃大约是在他读初二的时候出现的。这之前,他的作文并不出众,总显得平平的。初二时,记不得是一篇作文还是一篇周记,使我对他刮目相看了。那篇文章写的什么,我早记不得了,但我却记得当时我内心的震惊。那文笔朴实无华,却透出一股清新淡雅的气息,很有丰子恺散文的韵味。后来我知道他确实喜欢丰子恺——他的画,他的文,乃至他的为人。我从教多年,见过的优秀习作不少,但写得具有这种风格的却还未见过,它一扫学生作文中常见的那种学生腔。我很批了一些肯定的、鼓励的文字,他便一篇又一篇地写了下去。

到初三时,他的作文便出类拔萃了。一篇《这里风光独好》使读到它的人无不赞叹不已,简直不敢相信这是出自一个孩子之手。那时他还未满十五岁。他不写名山大川,单写他家居住的小院。他对那小院有着浓得化不开的情感,他让这情感在文中缓缓地流淌出来。写得那样有情趣,那样有韵味,实在难得。他已不是为文而文,确实是感之于心,形之于笔。他比别的孩子更早地摸索到了为文之道。

他善画,因此他练笔的方式就比别人多了一种,那便是题画。他的速写,他的作品中常写有一段文字,有记创作经过的,有写当时心情的,有介绍民风民俗的,也有评头品足的。文字或庄或谐,或三言两语,或密密麻麻一大段,有几幅画几乎被文字包围完了。我记得有幅画菩萨的画,文字在菩萨四周,形成廊柱,形成匾额,而案台上的香烟却在文字的字里行间缭绕,疏密有致,文与画浑然天成,使你觉得菩萨四周似乎散发着一种灵气,进而也似乎感受到作者的那一种灵气。

这孩子也实在是单纯、天真。他向来与人为善,即使别人欺负他,他也顶多睁大了眼说说"怎么能这样?怎么能这样?"便也算了,从不去记恨。对老师,他似乎觉得称呼"先生"要显得更文雅些,更虔敬一些,因而他在他的文章、周记等文字中总用"先生"一词来称呼他尊敬的师长。他常常又能别出心裁,让你大吃一惊。他读初一时,元旦开联欢会,他去借了全套戏装将自己扮成七品芝麻官,还抹了一块大大的白鼻梁,一出场便获得满场喝彩。这次他从上海回来,竟然穿着长衫来看望我。我一开门,便吓了一大跳。我真佩服他居然有这种胆量,穿着长衫从城里来到我在郊区的寓所,进而也为他的那份天真、单纯所感动——他这样做,不过就只是想让我看看而已。我送他离去时,惹得在院坝纳凉的邻居都茫然不解地呆呆望着,使他们产生颇多猜测。

按时下的标准,他够不上全面发展。他的灵气在数理化上一筹莫展,因而整个初中阶段他为此伤透了脑筋,也付出了沉重的代价。他未能进高中,这是他的不幸,不过对他而言也是一种解脱,把他从数理化的重压下解脱了出来。他径直去参加成人自学高考的学习,班上数他人最小,其余都是高中毕业未考上大学的,他在那里却成了明星。他的每次考试都名列前茅,他的作文常作为范文,深得老师及同窗大哥哥大姐姐们的喜爱。他如鱼得水,一点压抑的感觉也没有了。他于是活得潇洒起来,于是便去潇洒地走一回,便又有了这部潇洒的记录。在众多的同龄人仍在为做不完的作业,考不完的试而苦恼之时,他的不幸简直算不上不幸了。

他前面的路还很长,当然还可能会有大起大落,还可能会有幸与不幸。但至少对他来说,他的承受力比他的同龄人要强得多。他只要一如既往地执著追求,他就会继续潇洒走下去。

周代远一九九三年九月于半壁斋陋室

注:本文作者为李里的初中语文老师。

亲人信二十七封

一

李里小侄孙：

收到你的来信已经很久很久了，可以说从开始读信之时起，就开始复信了。腹稿、草稿打了多少遍就是都没能写完。等待最佳时辰，以便最佳地"发挥"，这是复信一拖再拖的主要原因。

我们全家都十分喜欢读你的来信。每次来信总是全家传阅，甚至寄到成都小兵那里。我们又总是反复阅读。因为你的来信内容丰富，不仅给我们带来了亲人的信息，还给我们传来你的喜讯，让我们分享你的快乐。流畅自然的文笔，孩子的口吻说出的成人语，天真而带夫子气，读来生动又风趣，使人忍俊不禁，轻松愉快。希望你多给我们来信。

写到这里，我又只能暂停了。过重的菜篮子又叫我的手写字不听使唤了，而且脑子也不大对头。我实在不愿意让这么潦草的字迹出现在你的眼前。等待下一个良辰，我们再继续这次书面交谈吧。

万分欣喜，收到你的新年贺卡。你的纯洁的关爱和炽热的激情使我们感到温暖。在这样严寒的冰雪天气，你给我们雪里送炭，有你的心声陪伴，我们将会永远年轻。

新的一年已经到来,我们还在旧岁里徘徊、踟蹰。是你一声呼喊,把我们唤醒,带到新的时空,去展望变革的明天。明天属于你们,我们或许是观礼台上的来宾,或许是沿街观看游行队伍的无名观众,我们将为你们鼓掌喝彩!我们一样是兴高采烈的,虽然不能与你们同行。

新年的感慨道完了,让我们来继续前面的交谈。

真快!不知不觉又过去了一年。你的来信及贺卡,都让我们看到了你的长足进步、快速成长,使我们惊喜。你已经能像大人一样工作了。你那么喜欢读书,真像个好学之士。考上美院附中的愿望一定能够实现,预祝你成功!

来信中你说出了你对当前学校里的重理轻文之风的非议。我以为,这是事出有因的。重理轻文的社会历史根源,可能是我们国家科学技术不发达,经济生产落后,人民生活贫困所致。你应该理解这种现状,不必难过。你能在妄自菲薄民族文化的浪潮中,不随波逐流,实为难能可贵。愿你在自己的选择中,在正确思想的指引下,走出自己的路!相信你能逐渐认识文、理科的相互关系及社会作用,正确认识现代科学技术对社会生产的发展及文学艺术发展的巨大推动作用,并在学好文科的同时,学好理科。

新年伊始,愿你用优异的期考成绩迎接一九九二年!

祝你新年快乐!

姨公、姨婆

1992. 元月 4 日

二

里儿:你好! 新年好! 代问全家好!

里儿,你传统式的中国风格的来信我收到了,非常非常高兴爱不释手地特别拿了放大镜一字一句地看完了来信。你的信写得很有文采,字里行间让我了解了你在文学、历史方面很有钻劲,并取得一定的效果。一封来信既有文字表情,又有图画表意,情意交融,诗情画意,应该说读后颇感享受。你和胡炜哥哥各钻一方,从其方向来看,他是追求最先进的现代科技,而你是酷爱人类传统文化,一前一后,各属一方。我在遥远的东方祝愿你们在不同的领域中攀登高峰,成为民族的才子,光耀祖宗。

一张清秀的彩照,使我认识和看到了长大了的今天的你,文质彬彬,十分逗人喜爱。你的书斋我很欣赏,这是你卧薪尝胆、修行、练功,强壮自己的小天地,它是属于你的,是你的空间,望你认真地、充分地利用它,珍惜它,而且要用你今后的才华来证明它在你人生道路上给你的宝贵付出。我想我总有那么一天能够看见雄鹰展翅遨游五洲。

随信送上我的一张照片,是我用放大镜看你来信时二姑爹给我拍下来作纪念的。由于胶卷未拍完,我一直想等到照片印好后即回信给你,这是迟迟未提笔的第一个原因。第二个原因是我被关进政校校长上岗学习班读书近两月,每日十分紧张,已顾不了别的,再加上许多社会和校内的事务缠身,所以未能及时回信。二姑妈失礼了,望你原谅。另外你的来信我已给许多人过目,没有人不夸你,还有人找上门来要你的来信看。都说现在的孩子能专心民族的传统文化者甚少,所以都很佩服你,喜欢你。望你再接再厉,继续努力。

过年了,有点小礼物送你,等有机会托人捎给你。

爸妈好吗?他们在忙什么?我准备 1 月 12 日星期六下午五时左右给大伯父打长途电话,望你能在,我们就能在电话中通话了。好,代问全家好!二姑爹、炜炜哥哥要我代问你们全家好!

亲你!望你多来信!

二姑妈 92.1.6

三

旬侄:

此刻是七月二十二日晨七点五十八分,我们在报国寺的"湖舍"居室里,李里还正睡得香甜,做着他的银色美梦。趁等他起床吃饭之空,同你短叙几句。

早就想给你们写信的,又总是拖着。李里来了,经过几天的交谈,更觉急切需要同你谈谈。很多话都同李里说了,就如同跟你说一样。在思想领域里,李里简直是个大人了,我似乎觉得他有些早熟。我们谈得很投机,似乎永远也说不完。谈了很多。平时在一年里也没谈上这么多。他把一切都谈得清清楚楚。通过同他交谈,我觉得我们(我和你)不约而同地在思考着同样的问题:人类社会、人类社会的现象、人的本质,从而联系到的本质更直接的是子女的教育、幼儿及青少年教育问题。可能我们有一些共同的想法和认识，只是你可能更深广些。我底子薄，局限性多，最主要的是人老了。我很有兴趣、很希望有机会同你长谈，有机会学习一些东西，多看些书，多了解一些青少年现状，但愿能实现。

李里很乖，很懂事，整天不停地读、写、画，总在思考，即便是看电视，也从不作单纯的娱乐。他是我们的快乐天使，有他，我就能化险为夷，化忧为喜。说真的，我真舍不得让他离去。但他毕竟要走，他好像有点想家，时时念着他深爱的抚育他成长的一切人，特别是他的母亲和在那里长大的摇篮——协和里。他想回家，却又有些不愿离去，不愿离开如诗如画的峨眉山水，这里有他创作的源泉。

我们考虑再三，改变了来渝的决定，心里十分歉然，让你们特别是大哥姐失望，十分抱歉……

祝夏安！

二孃应荷匆草

一九九二年七月二十二日

四

李里：

这么快就收到了你的来信，出乎我们的意料，也让我们喜出望外。你终于一个人到家了。

你走后，我心里一直不踏实，多次要给小兵去电话，我们还未行动,你的信先及时到了,悬念方才平定下来。我惊呼你行动的快捷,办事的效率。

兴致勃勃反复读了你的来信,余下的是等待适当时间给你复信。

八月十八日

今天天气凉爽,小雁去成都办事,加之昨日的剩余菜饭足够中午午餐,烦事任务减轻了一大半,别的也没什么急事等着去做,可以安心将十八日开头的信继续写完。

你姨公催促多次给你复信,我还在考虑写些什么,迟迟未能提笔。见面时已经谈得很多,交谈中得知你比我知之更多,现在不是你从我这里获得教益,而是我们从你那里得到欣慰、乐趣、启迪和激情。两代人的希望寄托在你身上,我们都期待着你的成功。

昨晚中央台播放的邓亚萍、高敏等奥运获奖者的报告会很有意义,不知你收看没有。他们的刻苦精神和必胜信念实为成功者不可缺少。每个运动员的发言都令人十分感动,特别是高敏。谁都想象不到这个带着永恒的微笑的永远的金牌得主,原来经受过那么多的痛苦,经历过多次低谷。但她(和他们所有的每个人)都在教练以及其他人的鼓励帮助和严格要求、刻苦训练下战胜了自己,克服了常人难以想象的困难,终于获得了成功。这次奥运会我们都为我国取得的成就感到惊讶和意外,也为之满意和高兴。但却不知发展如此之快的原因何在。听了这个报告会才知道,与这些运动员、教练员的勤学苦练分不开。这之中,战胜自我是很重要的一环,甚至可以说非常关键。愿你能听到他们的讲话,并能从中学到有益的东西。

如果你昨晚没看到这电视,近日内注意电视节目,四川台可能还会播放。否则,你还可以写信到中央电视台请求重播。原来是八月二十三日上午九时中央台直播一次,昨晚(二十四日)二台重播。

最后希望你多来信。你的信是我们的精神财富,读你的信是一种享受。但你的学习任务很重,不愿给你增加负担,最好写信能与学习任务结合起来,入学后考虑是否可能。否则写短简,纸短话长。再写要超重了,希望知道你的近况,你的先生是否常到你那里?

手不听使唤,字迹潦草,原谅。

姨婆 一九九二年八月二十五日

五

李里:

早该回你那封写得如此动情的长信了。

我们于本月中旬十一日上山去,正好峨嵋电视台继续播放《神雕侠侣》。上月下旬你刚留恋不舍地离开峨山,峨眉台因转播奥运节目就停播这部武打片。这次我们趁此看了一个星期。但仍只播放到十四五集,据说全部有三十集之多。过儿与小龙女正各自遭受各种磨难、阻挡而恋着对方,但又各得神剑,剑术超凡……虽然不知结局,然而可以相信是"有情人终成眷属"。究竟如何,下月上山询问了馆里招待所服务员再告诉你。

你正紧张而兴奋地准备着跨进新的校门吧? 不要踌躇,不要犹豫,朝着看定的目标一步步坚实地走去。在你这样的十五岁花季,正是全面打好基础的时候。知识不能单一,知识越广博越有好处。一个有为的年轻人,总是十八般武艺都行,虽不是样样精通,但应有几手绝招。

日记,不妨每天有一个中心意思,甚至有一题目。写好了,就是一篇散文,一篇随记。绘画与文学是相通的,唐代大诗人王维就是"诗中有画,画中有诗"。

我们随时期待着听候你的各种佳音。

祝你更上一层楼!

姨公 八月廿五日乐山家中

六

李里:

昨日从山上返回家,收到你的来信,真是喜出望外。没想到你在这时能来信。估计你回去一定很忙,目前又面临期末考试,所以我们就安心地等待着放假以后。

同往日一样,你的来信十分珍贵。我们从那里得到快乐、纯情、生命活力及我们想知道的你们的生活近况。你的来信更为我们驱走孤独和寂寞。可以说,收读你的来信是我们生活中最大的快乐之一。所以你也算是我们家之一"最"了。这并不夸张,它正说明青年对老年人是多么重要。

你们的情况一一尽知。我们回家后心情同你们一样。安岳一别念念难忘。一直想给你写信,但回家后疲惫不堪,连续数日昏昏欲睡,手也浮肿,头昏得几乎倒床。加上家务纠缠,终未提笔。现在逐日恢复正常,但精力总是不足,一天时间只能顶半天了,大概是衰老所致吧。我正担心婆婆爷爷和你妈妈,没想到他们马上又上班去了。看来他们身体、精神比我好点,值得庆幸。他们生病都在我的担心和预料之中。幸亏好得快,希望他们以后多加注意。

安岳团聚令人难忘。阔别四十余载的故乡梦绕魂萦。此番还乡了却了数十年的夙愿。梦中的故乡、思念中的亲人,终于出现在眼前。姊妹团聚,亲友重逢,故地重游,重温旧梦,似梦似真。浓浓的亲情、乡情、友情、喜情像一盅盅红葡萄酒令人心醉。秀丽的山石,精湛的石刻,迷人的田园风光美不胜收。可惜只是匆匆浏览,狼吞虎咽,来不及细细咀嚼,过后却是回味无穷。看着眼前这些留影,我们真是越来越喜欢这美丽偏僻的农村小城。我们都情不自禁写下了自己的感受。

感谢你对我们苏氏姊妹的认定。家庭的影响,使得我们自幼喜爱文学艺术。令人惋惜的是无一人得到系统良好的教育并从事文艺工作。只是一生追求人们共同渴望的真善美的东西。在金钱万能的现代社会里,努力摒弃邪恶,保留人原有的善与美,这确是不易。

因为要寄照片,你姨公限我只写一页纸的短信,这可能吗? 虽然腹中空空,并无几滴墨水,可情意却是无穷。不知你是否愿意继续听我唠叨下去,看我啰唆一段成都的经历?

　　……

你的长衫做好了，我们为你高兴。你姨公说，你穿上一定像个书生。真的，绝对像个儒雅之士，不折不扣的五四青年。但愿适当的时候你能穿上。我想象，将来你可能在舞台上出色地扮演鲁迅、朱自清等等。

此刻你正在进行考试吧？你的谦逊和进取精神定会带来成功。

祝你

应对自如，成绩优异！

两眼昏花，手不太听使唤，字迹潦草，原谅。

姨公、姨婆

一九九三年六月十五日

七

李里侄孙：

来信和作文收到很久了，为迟迟没回信常在歉疚中。当时想待你爷爷、婆婆将照片寄来后才一起复信，但本月收到照片后又因事耽搁，使你长久盼望，十分对不起。

这次大团聚，虽然事先我也做了准备，但因受年龄所限，力不从心，加之缺水造成睡眠不足而精神欠佳，致有照顾不周之处，相互间也未能畅述一切，分别时就感到歉然了。我想有了这次的经验，今后再聚时就会好些。

这次聚会我也感慨良多。一是庆幸四十多年后大家均能在家乡团聚;二是欣然了却了多年欲一起回家乡探亲扫墓的夙愿;三是喜见晚辈们正在继往开来,发扬光大上辈的优良风尚,而你更是脱颖而出了! 我辈虽少有理想,因遇坎坷未遂心愿,就更寄希望于后辈们。如今客观环境好多了,有机会大展宏图。你才智和品德过人,无论文学和绘画都可能攀登高峰。上次因时间匆忙,未能与你和你妈妈多谈,对你知道不多,虽信口说绘画要经济实惠些,这乃世俗之见,绝不可取。只能根据你的客观条件,去选择最佳的主攻方向,不要受金钱所困扰。

再读《这里风光独好》和评析,加深了对文章的认识,写得很好,评析也淋漓尽致,已无他见。本来我也喜欢文学,但未经过正规的写作训练,基础差,后来又偏爱哲学和政治经济学,却也学得不系统、踏实。工作上写点总结报告之类应用的东西,对写文章无所专,更无所长。二十年的农村劳动,使我青春消逝,智力减退,得到的是一些经验教训,却也加深了对社会、人生的认识。也许在这方面对你有一定帮助。

你雪嬢已放假回家。前年选读的技校专业不好,前途也受限,我深感内疚。现在只有加倍努力学习,进行深造,力创一个好的前途。你和她年龄相仿,但智力和客观条件都比她好,望常写信促进她。更望寒暑假能来安岳玩,这里学习环境还可以,也能提供你写文作画的素材。

祝愿你和爸爸妈妈均好!

荃舅公 一九九三年七月二十三日

八

李里贤侄:你好!

非常非常对不起,五月份收到你的信本应及时回信,因当时正在车间实习,十分劳累,晚上只想休息,未能提笔。接着就是团内活动,机械制图结业考试,期末考试以及这期岸上的结束工作,忙得不亦乐乎。七月份放假回家又在赶修高中数学课程,以便暑假找老师检阅,一拖就是两个多月,使你久久盼望,生气了吗?今后保证不会这样了。请原谅!

安岳的短暂聚会,使我永远难忘!父辈们的亲切之情,旬姐、英姐的音容笑貌,你的聪明才智、思想品德和远大前程,以及在我家拉家常、评作文,在毗罗洞、华严洞、圆觉洞等撒下的欢声笑语,都使我非常欣慰,也给了我极大的鼓舞。只可惜相聚匆匆,望你们今后寒暑假能常来玩,以便向你讨教作文、绘画之道。

寄给爸爸的文章和评析我看过了,大有"文章本天成,妙手偶得之"和"读书破万卷,下笔如有神"之感。我真羡慕你这个神童,既有文学绘画的天才,又那样勤奋学习,积极进取,今后定有大成,我是望尘莫及了!由于父亲年龄已高,我未能走读高中升大学的路,而只选读了技校,争取早就业。但我决心深造,打算在微机和财会方面进修。由于未能进正规学校,我只有加倍努力自修去争取前途美好。同时也想将原来喜欢的绘画、写字、作文的水平不断提高。你来信说再相聚时要与我比赛写字,这是对我的鼓励。但今后相聚我只有讨教的份儿,还要在多方面向你学习,你该不吝赐教吧!

"花开堪折直须折,莫待无花空折枝。"我们都处在花季,是学习的黄金时期,我除向你学习外,也还共勉吧!

顺祝

生活愉快,万事如意!

并问李哥、句姐好!

雪孃 一九九三年七月二十三日

九

李里:

安岳回来后给你的信不知收到否?因为一直没收到回信,盼望之中产生怀疑:信是否丢失了?在那段时间给婆婆去了两次信,还寄有照片,也没收到回音。所以你们以后需查一下,你们的信是否还有丢失。你们既已离开协和里,再往那里寄信,是否完全保险?

收到你附在婆婆信尾的短简,真有点担心。在成都见到婆婆时,她曾简扼告诉我们你暑假旅行的经历,也谈到了你所遇到的一件奇事。但这件事是好还是坏或者不好也不坏,尚不得而知。现在该知道这事的真相了吧?究竟是怎么回事?如何处置的?或者仍是悬案,等待你一一道来。

不知你是否有时间看电视,最近中央人民电视台播放的《北京人在纽约》的电视剧看过没有。里面有句话说"美国是个战场"。这是否可以扩大来说"世界是个战场"？我不敢断言。德国影片《英俊少年》中有一首插曲,歌词是这样的:"小小少年,很少烦恼,眼望四周阳光照。小小少年,很少烦恼,但愿永远这样好。一年一年时光飞跑,小小少年再长高。"随着年岁由小变大,他的烦恼增加了。第二段:"小小少年,很少烦恼,无忧无虑乐陶陶。但有一天,风浪突起,忧虑烦恼都来了。一年一年时光飞跑……"（以下同一段）

　　我很喜欢这首歌,并买有磁带。听了这首歌令人愉快。我给你推荐这盘磁带,你可以听并跟着唱,你会变得愉快的。因为这首歌轻快活泼,充满乐观。磁带的名称叫"青橄榄——外国名歌新感觉联唱",里面收集了三十多首世界名曲,多半是民歌。听起来轻快、活泼、甜美。

　　读了这首歌词,你对照一下,你的过去和现在是否正如歌中唱到的一样。我认为,这首歌道出了人生经历的普遍现象。你目前的恼人经历也不只是你个人独有。对于我们这些步入老年的过来人来说,可以说是意料中事。所以你不必太惊讶,太难过。不过,这并不意味着我对此无动于衷。因为我的血还很热,心还未老。所以我很难过,也能理解你的心情。理想与现实冲突,梦想即将破灭,伤心之后,面对现实,冷静思索,重新编织自己的人生美梦。现实不如理想那么美好,但别丧气,好事多磨,继续努力,你会成功的。

　　祝你愉快！

姨婆　一九九三年十月二十六日

＋

李里：

　　正当失望的时候,今天中午意外地收到你的来信、贺卡及照片,真是一次难得的大丰收,让我们大为惊喜。若久旱遇雨,快要干枯的心田涌出了新泉……

　　收读你上次写在婆婆信尾的附言之后,每天望你的来信,几乎没有一天不去收发室看上两遍,差点没把眼底望穿。等待的日子,度日如年。从那以后我们计算时间不过月余,但我们几乎等得不能再等,盼得不能再盼,不知额上又平添了多少皱纹。

　　顾不上姨公端来的午餐面条,一个劲儿地读着你的长信。读到你江南旅行时,禁不住读出声来,让正抑住喜悦地等待读信的姨公也早一点共享这份快乐。

　　细细读过来信,全面地知悉了亲人们的近况,释却了心中的悬念。

　　你的江南之行真精彩,太富有传奇色彩。你抓住了上海旅游探亲的机会,孑身一人,踏破铁鞋去寻访快被遗忘的民族精英老一辈著名作家、艺术家故里。当你的同龄人追星追得发狂的时候,你以反潮流的精神,坚定地走自己认定的道路,深入生活,以生活作为创作源泉,取得了用之不尽的创作素材并丰富了生活经历,充实了精神世界。我们为你高兴也祝贺你的初步成功!

　　你要我为你的记游写点什么,我很惭愧。我很希望能够满足你的愿望,但我却无能为力,非常非常抱歉(姨公说:读了你的记游之后可以尝试)。

从来信我仿佛感到,在你的周围似乎无形中正在形成一个小小的"追星族"。不过他们追随的不是已经公开成名的"明星",也没有明显的公开追逐罢了。有人崇拜这是好事,但我们想提醒你不要因此乱了自己的方寸,影响你的学业。最好稍费些时间精力妥当处置。可否谦虚有礼婉言快捷劝他们把心思多放在自己的学习或工作上呢?

另外,有人崇拜必有人妒忌和不理解,甚至有时会带来不愉快。对此最好各走各的路,不予理睬。

最近,在报上看到一篇谈"追星族"的文章。大意是说"追星"是如何从伟人和名人崇拜转变为"明星"崇拜。伟人崇拜和名人(包括英雄)崇拜,是青少年在特定年龄阶段的一种反应。我认为这是一种狂热,来得快也去得快。所以希望你能理智冷静地处之。当然,这很难,因为你同他们一样是热血青年。

对周老师的序言,姨公觉得标题有点俗套,内容写得不错。旬伱的序言可否再压缩一点。旬伱的序言深情而动人,道出了所有母亲的心声,我准备复印给小兵小雁。另外姨公觉得"旅途记游"这个标题有点平淡。最好能有一个能够一下子吸引读者的新颖标题,新颖但不是新潮。

代我们问候爷爷婆婆。婆婆工作辛苦,还管聪聪,一定很累。现在虽不工作了,但要管家务和聪聪,仍然是不轻松的。刚刚停止了工作心理上还有些失落感,精神更容易消沉。冬天来了老年人容易染病,需要你们时时关照。

爷爷工作有成效,心情一定很好,希望注意身体健康为要。替我亲候聃聃,聃聃真可爱,愿他早日恢复健康。

祝你

稳步前进,万事如意!

姨公、姨婆

一九九三年十一月二十至二十三日

十一

晋诚哥、姐姐:

正欲复信,李里就来了,使我们喜出望外。这个孩子确非凡夫俗子,纯洁善良,襟怀坦荡,与世无争,诚挚地为一种超凡的境界而奋斗。诚如 ZCH 所说:"这个孩子无一点心理障碍,执著奋发地追求,世所罕见。"他还要来渝访他。中江几个文人宴请了他,还邀他常来中江文会,使生活潇洒而充实。他又重情义,曾虹说他是感情的化身。在中江所接触过的一切人无不喜爱他。这就难怪郁达夫的儿媳不吝赠物珍藏。他给我们带来了欢乐和希望,苏氏的风骨是他在发扬,我们都希望他能常来,对其他晚辈也是具体的教化。他是理想社会的标准,若世人皆如此,世界就是个大乐园了。

寄来的书及两次汇款均已收到,深谢。其实都不必汇钱来,因我六旬生日在去年孩子们都提前祝寿,天伦之乐,倒也快意。姐姐七旬大寿快到了吧？遥祝生日快乐、安康！我想托人或自写一幅苏轼的《水调歌头》裱好后带来，做姐姐七旬寿诞纪念。

原打算春节来重庆，但暑假里道碧已随学校老师去了三峡，在重庆住了一天，今年就不打算再来。为了抓紧时间大团聚，与李里商议欲在明年的国庆在安岳聚会，子孙们也都准时必到。我和李里现在来组织，把人请齐。我可先到安岳做好一切准备。

敬祝

健康，一切顺利！

应菘、道碧

一九九四年十月十日

十二

可爱的贤侄孙：

你的到来，真是喜从天降。我常在人前夸耀我们有个品学兼优、少年有为的好侄孙，是年轻人的楷模。百闻不如一见，这次你与他们幸会，无不赞扬和喜悦，也受到有益的感染。所以都希望你能常来玩。最近读丰子恺的文章，的确十分杰出。我想你是丰子恺最得意的继承人。

来信及照片均已收到，信中对我们的夸赞实感愧疚。本欲在春节来给姐姐庆寿，现决定于明年在安岳大团聚。为了集中财力，所以春节就不来了。

　　现在准备给你刻章，又在学书法，想给姐姐写幅《水调歌头》作七旬留念。

　　在今后的日子里，我想学点书法和文学，或能写点什么，使生活充实一些。余见给姐姐的信。

　　祝

成功！

　　有志者事竟成！

菘舅公

一九九四年十月十八日书

十三

李里贤侄孙：

　　满纸亲情勾起了往事，人世沧桑可幸亲人健在。由于社会原因，不少亲戚一度中断音讯，经你的串访重逢有日了。

　　近几年为你雪孃的成长，久未走亲访友了。现在她已工作，算是松了口气。如果今年大家不回安岳，就打算春节期间外出走走，或去重庆，或去中江、乐山、成都。总之，近两年你们那里是要去的。

　　你在众多的应聘者中脱颖而出中选，走上了一个能发挥自己所长的工作岗位，可喜可贺！我们常为晚辈中有你这样一个有为而品德高尚、重情义的人而欣慰。祝你在踏上新旅程、进入社会后顺利前进，创造辉煌的未来，为繁荣祖国文艺、振奋民族精神作出卓越的贡献！

你雪嬢工作后仍较勤奋，已进入局团委，打算做下届团支部书记。已参加了党建学习班培训，并有培养为办公室主任之意。现在也在继续深造，参加了成人自考大学财会专科学习。已考试两次，第一次有两科合格，第二次可能有三科及格。争取在两年左右毕业，再攻本科。你们可以互勉，同时也要学习你的志气、抱负、勤奋和思想品德，开拓美好的未来。

你找到了我们爷爷、叔叔的遗像很好，可惜现在你曾祖父的照片无存了，十分遗憾。关于"怀才不仕秦，持节仍归汉"中前一句之意，是战国时期志士苏秦去见秦王受冷遇，归家又受父母、兄嫂、妻子的白眼而头悬梁、锥刺股苦读，复出会赵王备受青睐而封侯拜相，后又游说楚、齐、燕、韩、魏等国而为六国宰相，联合以抗秦，谓之"合纵"。苏秦荣耀显赫于世，成了苏氏宗族的第一位历史名人。这副对联，我们祖父曾书写陈于老家堂屋神龛上，这是苏氏祖上的荣耀，也以此激励后人。中江张守泽书此赠你，其意就可知了。记得《古文观止》中选有苏秦为六国相、联合抗秦这篇文章。

今天就谈到这里。

祝你乘风破浪，前程锦绣！

代问你婆婆、爷爷和全家好！

荃舅公

一九九五年六月八日

十四

李里：

　　每收读一次你的来信，如同接到喜报一般，总是互相传阅，给人以鼓舞和欣慰，又寄予无限希望，都为有你这样的后代而感到骄傲。

　　自荐书别具一格，寥寥数语颇见文采及志向，众赞你为青年中之佼佼者，难怪《重庆晨报》总编沙里淘金选中了你。

　　寄来的苏东坡全集甚好，深谢。虽系上册，但上册的内容极丰，占全集的五分之四，恰好各存一册，请守泽带回。

　　我想退休并不等于自掘坟墓，应是人生旅程的又一开端。欲在有生之年写点什么：家史、自己的历程、感悟、人世的繁华与悲怆，或写真善美、假恶丑，写一切有感于心而讷于言的事。然而提起笔来，才知道自己知识浅薄。所以必须从头读书，从新学起。最近约了几位文学爱好者组成了个笔会，以共同探讨，也是自娱。我现在觉得时间不是太长而是太短了，每天都感到紧，但是充实、乐观。

　　章已刻好，请守泽带来。

　　《回乡记》已修改，寄来两份征求意见，你可向你的老师请教，还有什么不足之处，以便再改后投稿。如果你们的报纸能发表也可以。

　　我们全家均好。苏剑攻微机颇有成效，工作很认真，已提为一个小领导。曾虹很懂事孝顺，一切都不必挂念。

没给姐姐他们写信,你们传阅此信。

祝心想事成!

菘舅公书
一九九五年六月二十二日

十五

李里孙儿:

在返渝的途中,我就后悔未在李家街留两天,也未在安岳住两天,就匆匆随车回家。你刚去待几小时,既未见着满祖祖,更未会到智恒舅公,我们来不及给他们交代什么,就匆匆地走了,心里一直不安。回家几天来都想着这事。若不因路烂难行,怕再下雨陷在李家出不来,我肯定要留下来陪你两天,还想带你给祖祖上坟呢。

昨晚我在梦中见着了你,你说亲戚们都很关心你,还准备给你搭一间洗澡室什么的(这也许是我想到那里解便洗澡不方便的原因),你还习惯。今天你妈妈来南坪正好告诉了你的情况,说荃舅公又到李家来过,他不放心,看天晴就到李家来为你安排生活,熟悉一下环境,说你还能适应,还可以。这正符合我梦中所见所闻,怎么这样巧合?

在乡下已经五六天了,生活走上正轨了吗?准备要拜访的亲戚想已拜访了。智恒舅公是否常来?四外公全家想来都很关照你,你定要注意,不要给他们增添太多的麻烦。你的床垫得厚不厚?晚上睡着冷不冷？若冷可请舅公他们给你找点谷草垫上，就很暖和。还在咳嗽吗？药若吃完了，就到镇上去买。赶场要与舅公他们一道，不要一个人走，你不熟悉路。乡间空气好，早晨早点起来去锻炼，一定注意加减衣服，病了自己受苦，又给别人增加麻烦。把作息时间安排好，争取明年考试取得好的成绩。

三十号那天我们把荃舅公送到安岳后返程，仍走原路。据说原来堵车的地方一直堵到三十号中午才通车。我们到那里车虽通了，路仍很烂，小朱叔叔费了很大劲才开上了垭口，有几次几乎开滑了或陷在泥里，最后终于开出了这段烂路。他的技术确实高超，你的学习和才能也应达到炉火纯青的地步，这样在人生的旅途上，才能冲过重重险阻，攀登高峰。烂路通过了，但轮胎却被刺破，夜里又在途中停下来，请工人补了三个轮胎，然后才顺利上路，于晚十二点回到七星岗。要不是补胎耽误一个钟头，十一点就会回重庆。我在第二天回到南坪。

今天你妈妈来说，明天她就要出差到永川等地检查工作了，小朱叔叔也要去，任务很紧，工作很忙，也不知她有没有时间给你写信。你要在农村好好照顾自己，以免父母担心。

元旦节你们都不在，只有聃聃来了，就不如以往热闹，只在一号下午带聃聃去南坪公园骑了车子，他玩得还高兴。你春节前早一点回来吧，大家过一个热闹的春节。春节回来时，把你的两科书都带回来，以便抽时间复习。我的想法是：春节回来后你是否还去？若要去最好等考试过了再去，这段时间就在家里复习功课，这样既可向重师的老师请教，又可免去一次路途往返费时，当然还得你自己根据情况考虑。

我们都很好,勿念。

身体好! 学习好!

代候四叔祖公全家及满祖、智恒舅公全家。

婆婆一九九六年一月四日

十六

李里:

下班回来看到你婆婆给你写的信,在此也附上几笔。

农村这个广阔天地,是大有学习之处。自然界之优美,可以使人乐而安之。中国历史上下五千年,人类从原始共产主义社会到奴隶社会、封建社会,再到社会主义社会,古今多少先贤,他们为了人类的进步、人民的幸福、国家的强盛、民族的兴亡,为了农村的社会改革,不知付出了多少血汗和辛劳。今天的农村比历代的情况都好多了,但还不够,还要发展、改革,使之更完美。这里的学习就更多了。因此你在那里,要多向劳动人民学习,学习他们勤劳、朴实的优良品德,学习农业技术,学习如何改革现有不足之处。多问老农,多调查,多记资料,多记素材。作家周立波的《暴风骤雨》、丁玲的《太阳照在桑干河上》、赵树理的《小二黑结婚》、高尔基的《在人间》等,其题材来源于农村的多也。希望你这次在农村多获得些活的社会知识,俾有用于将来。

听说有人教你学拳术,这很好,它可健身。要抓紧时间学好功课、英语及要考的几门学科,不仅应付考试,还要将来用之于工作中,还要争取到高一级学校深造。形势逼人,一寸光阴一寸金,寸金难买寸光阴,莫白了少年头,空悲切! 未来的世界是科技竞争的世界,人才竞争的世界。要有所成就,必须付出艰辛的劳动。长江后浪推前浪,愿你不负前辈的希望,愿你健康茁壮成长!

爷爷手书元月五日

十七

李里:你好!

元旦佳节我和三姑爹晚上来帮你打行李,收拾东西,当时你不在家,我买了点小礼品可以送那些农村小孩吃。本想给点钱给你,但你不在,你父母不会收,只有等春节回来时再说。

给你父母的信我已看过了,写得很好,看来你这次到农村收获不小。条件如此艰苦,但你能很快适应,这太好了,说明锻炼对人有极大好处。像你这样自愿到农村锻炼的青年,当今少见! 我深信你经过这次锻炼后,身体、写作、绘画等方面均会有较大提高。广阔的农村,纯朴的农民,新鲜的空气都能滋润你健康地成长。我希望你能天天写日记,记下你这一生中光辉的一页。

强强哥哥来过两封信,三次长话。也问候你们全家。他也知道你去了农村,你们两兄弟,一个学武,一个习文,是今后的文官武将,我们年纪大了,未来是属于你们的。

强强哥哥离家已五十三天了。这段日子里他经过了艰苦的锻炼:操练、拼搏、倒功等武警专业训练,川北天气又冷,风又大,下雪,他都冷起了冻疮,但他还是信心十足地训练,不叫苦!现在他在全连算是冒尖战士,每次训练都叫他出来做示范及表演,班长、排长都喜欢他,春节期间他们还要到火车站执勤。

今年春节我已决定初三请你们全家及大伯、四姑妈、五姑妈全家来我家玩,我想你一定会回来的,我们热烈欢迎你回来过节。写到此,代问亲戚们好!

祝新年健康、快乐!

三姑妈 96.2.7

十八

李里:

你妈妈从安岳回来,得知你在农村的一些情况。这封信早就想给你写,因为你婆婆到成都去了,家中的大小事都得由我亲自料理。加之近来要赶改第三期稿子,要收 32 家的水、电、气费,又增收了有线电视费,还要抽时间买菜,一天忙得不亦乐乎,所以这信今天才抽出时间完成,以了心中的牵挂之情。

这几天我在看一篇文章,标题是"杰出青年的童年与教育给人的启示"。文章经过调查研究而得出的观点是:

1. 成才的两个重要时期是初中升高中和高中毕业以后。这两个时期是青少年身心发展的飞跃期。由于生理、心理正处于重要的变化转折期,在寻找如何解决青春期产生的问题时,开始重新考虑人生,开始为自己选择目标并为之奋斗。你正是这样做的。这阶段对一个人的成才及一生将产生至关重要的影响。你应该紧紧把握这关键时期,否则两三年时间过去了,将后悔莫及。眼看你的同学们如莫昕等已经往前走了,你还在原地停步不前,形势是逼人的。

2. 成才离不开自主自立。你是这样做的,我们也是这样培养你的。但要注意所谓自主自立,是说在困难陌生环境中发挥自己的力量,去把握社会环境为己所用;是说在学知识方面发挥个人创造力。

3. 优良的素质乃成才之本。杰出青年在青少年时期能抵制不健康因素的引诱,对自己要实现的目标具有坚定的信心和较强的意志力。已形成了是非观念并对错误的做法有较明确的制止行为,正义感较强并付诸行动。

4. 选择良友就是选择希望。"近朱者赤,近墨者黑",择友的标准反映个人的世界观和价值观。

5. 宽松与平等是成才的保障——我们这个家庭,尤其是你母亲,对你来说是做到了这点的,她为你付出了一生的心血,你应该听她的忠告。

6. 平和——最佳的个性关系。

我摘录以上观点,是想使你以理智来克服情感,辨明方向,在前进中不要迷失方向,耽误了自己的前程。

老话说人生三大要事:学业、事业、婚姻。但青年人应以学业、事业为重。学业、事业有成,婚姻自然完满解决。一个人的关键时期应该权衡轻重。如果是陷在个人问题圈子里,那眼光就太短浅了。

最近马处长跟你妈妈也跟我说了,要她写一篇教子成才的文章。这问题说明亲朋、社会人士都对你有个好印象。好像你已经肯定是一个有用之才了,你要不辜负家庭、亲朋、社会对你的希望。

具体事情,可能你妈妈给你已讲了,我就不赘言。

但愿这封信能促进你的学习、进步。

农村不好住下去,可早点回重庆。

忙中草字。

祝身体好!

爷爷晋诚

一九九六年四月十六日

十九

李里侄孙:

来信收到很久了,那时我正在放松自己以恢复身体,就懒于动笔,而入冬以来又感冒不断,不觉一拖就两个多月了,十分抱歉。

从来信中进一步了解到你近一年的农村生活的丰富收获,使我十分高兴。这无疑对你今后的写作、绘画和成长、成才都大有好处。我是多么希望后辈们前程似锦。而对你这个资质聪慧、勤学上进、思想纯正、重情义的出类拔萃青年,就更期望日后有大成。但感到歉然的是,你来安岳之际,我没能来帮助作个规划,使更有明确目标、有具体的方法和步骤去了解农村,认识农民,体验生活,锻炼身体。而在其间的接触中,又多就事论事,没有深叙、畅叙,探讨一些问题,相互交流在农村的心得体会,对你缺乏系统、全面的帮助。好在你自己能够主动地去认识农村百态,独立地思考见到的问题。我也想今后一有机会定要与你畅叙一番。看来今年春节我们又不能来渝了。因你菘舅公来信、来电谈到中江有人给我介绍女友,重庆就有待今后了。而今年在安岳的团聚,我们姊妹兄弟之间也未能畅叙、尽欢,离去后我甚感惆怅,也盼一两年后能够再聚,望你和你妈妈也来。

祝愿九七年阖家吉祥,你蒸蒸日上!

荃舅公

一九九六年十二月三十一日

二十

李里贤契:

先后来信并照片均收到,谢谢!

你六姨祖已痊愈,勿念。我近月来也在治疗脚疾,所以没有及时回你的信,也请原谅。

你和刘老师的合照很好。他和我俱老矣,但他人虽老而精神还是蛮好的,我已去信,邀请他暑假来蓉聚会,届时你也能来就更好了。你和我的合照送他没有?也请他看看我的近影。

　　你的画作，很有独特的风格，希能诗画合一，反映社会现实，很有前途的。不知你看过丰子恺的画没有？丰老的作品就多诗画合一，教育意义很强，哲理味也很浓，艺术性也颇高。可学习他，但要创自己的风格，要立志超过他。所谓后生可畏，青出于蓝。

　　请你带我问候你的父母和祖父母。

　　专复，即祝

时安！

你的忘年友仲耕（九十三岁六姨祖公）

一九九七年六月十八日

二十一

李里大弟：

　　赠绘的《诗韵集成》、照片、书信皆收到了，请勿念。

　　我对中医药只有一点肤浅常识，并未升堂入室窥探到其中奥旨，所以要谈如何学习它，说来当然不能中肯系的。不过盛情难却，也只好聊抒管见了。

　　中医是经过辨证才施治的。要辨证，必须懂得理法，要施治必须懂得方药。理法方药又是相辅相成的，不能偏废。而阴阳五行这些朴素唯物论又贯穿在整个理法方药中，因须对此等问题作全面的学习。

　　以什么书开始攻读才不致走弯路呢？我认为学中级中医教材为宜。这类书经编者对源远流长、浩瀚驳杂的中医学进行分类整理,内容较精当,词语较晓畅,学习较省时省力。之后再学大学教材,对祖国医学当窥到全豹。

　　古代的中医理论经典著作如《黄帝内经》、《伤寒论》、《金匮要略》、《温病条辨》等必读的中医著作切不可轻易否定。虽有的与现代科学相径庭,如《黄帝内经》"心之官则思"、"肝藏神"等等,就和现代生理学谈的不相符,我们需慎重对待。

　　兹寄上《辨证论治纲要》、《温病条辨》各一本,作时下涉猎,希哂纳。

　　专此敬候

夏安!

　　　　　　　　　　　　　　　　　　李炽昌(九十岁族兄)

　　　　　　　　　　　　　　　　　一九九七年六月二十日

二十二

李里大弟:

　　去冬十二月下旬,我复发了冠心病,在蓬溪县医院治疗近两月,心绞痛等症状虽祛除,惟心律不齐这个问题总不能解决。随即出院自己处方用中药复治,服两剂得痊愈。但食欲久久不振,精神十分萎靡,以至长时间未能把管。聊抒寸悃,尚乞鉴谅。

　　近日浏览宋词自娱,见徐君宝妻的《满庭芳》、王清惠的《满江红》、蒋兴祖的《减字木兰花》、颜芮的《卜算子》,或悲歌亡国离散,或伤叹压迫谋求自由,情真意切,极为精辟,而且均出于无名的妇人女子之手,真是难得。现将蒋词抄录如下,希闻后告知尊见。

朝云横渡,辘辘车声如水去。白草黄沙,月照孤村三两家。飞鸿过也,百结愁肠无昼夜。渐近燕山,回首乡关归路难!

余容后叙。谨祝

时绥!

李炽昌　额手

一九九八年五月二号

二十三

李里:

回家月余,身在乐山,心系成渝。许多追忆,许多思虑,使人不能平静。虽然少有同你们直接联系,但随时关注着你们的近况。小兵每周至少给我们传递一次信息。知你们一切平安正常,总算落下了心上一块石头。

刚完成了一份难作的答卷——一封家书,才得以静下心来细读小兵带回的你的毕业论文。终于能有集中的时间、足够的脑力细读你的大作。你知道,读它,对我来说是比较困难的。

很荣幸,能作为你论文的首批读者。我没有手抱字典,边查边看,甚至花时间向语文老师请教。在专心致志和仔细咀嚼下,总算基本上读完了主要内容。你的论文称得上大作、宏论、卓见。难以置信,这是出于一个二十一岁当代青年的手笔。我禁不住惊呼你的巨大学习成就,令我出乎意料!

对于林琴南(不怕你笑我无知),过去只是在学习近代史时知道这个被反面提及的名字,别的一无所知。读过你的论文才略知其人格之高尚、功绩之伟大。你的论述令人叹服。不知历史是如何评价的? 但对五四新文化运动以及涉及的许多人是否都有重估之必要? 否则一些有识的正义之士将永远含冤九泉了。因此,你这篇有独到见地的论文也应公之于世,也好告慰古人在天之灵。

即祝

阖家平安,新年吉祥!

姨婆一九九八年十二月十日完稿十八日誊清

附候你爸妈

二十四

李里:

半载不知音讯,昨午接读你在华严寺内写的信,读来倍感亲切。只觉得清风扑面,野花飘香。可以想象:在古木参天、湖波盈漾的幽静环境里,一少年埋头奋笔疾书,不亦乐乎!

想八十年代第一年,我独居峨眉山报国寺的弥勒殿和藏经楼上,也是小屋一间,一床一桌一椅,一书柜还是用装书的两个木板箱架叠而成的,似你信中描述的情景一般无二。虽清苦而充实,虽孤寂而自在。也许你正是这样。"苦其心志,劳其筋骨……"看来华严寺倒是一著书立说的好地方。愿你能完成你一大心愿。

然而,你毕竟还年轻,常常听暮鼓晨钟,会不会距离时代越来越远?新世纪的年轻人了,还应当与时俱进,适应时代的千种风云、万般变化吧!

我觉得,在人生旅途上,走一段再回头想一想是有好处的。虽不用"吾日三省吾身",但总结一下前一段人生旅途上的经验教训,还是必要的,你说哩?

《竺霞法师传》我们只粗读过一下,印象是:文笔颇佳,富有文采,只觉得香火味不够浓,对竺霞法师如何弘扬佛法、光大佛理不够突出。作为一位高僧,在这一方面,应是一核心部分。这只是"印象",说说我们的感觉而已。

我们身体都尚好,勿念。日常读书、写字,打毛衣,做家务,有时还打打乒乓球,也与老朋友们聚会谈天,生活平静而充实。姨婆忙着家务,暂由姨公执笔。

你爸妈工作如常吗?代我们问好。

新年又来了,祝福你身心愉快!

姨公刃 一九九八年十二月二十九日

姨婆应荷 匆匆于乐山家中

另有贺年卡直寄佛学院——又及

二十五

李里:你好!

你寄来的相片和《协和里老院图》让我几多感怀,几许惆怅。"这次第,怎一个愁字了得。"我把相片印在脑中,把题词留在心里,把你的画放在我梳妆台的玻璃板下面,每天面对,像是一次又一次走在"这寂寥的雨巷"。

给婆婆的信可还平和得好,只望给她添一份关切,添一份慰藉,让婆婆早一些好起来。李里最是晓事,病中的人需要平静。

重读《围城》,心里暗骂方鸿渐不如李里懂得表达,以致错失唐晓芙。你说这都是命,我才恍然醒悟。还是离佛近的人悟得多些(因你每天都在庙中)。是啊,聚散也由天注定。

......

喜欢你《论林琴南之古文》一文中选录的林纾的古文和林纾的翻译。一段选自《亡妻刘孺人哀辞》,一段选自《茶花女》,非常具有代表性。寥寥数语,感人至深。也喜欢你对"古文者,白话之根底,无古文字安有白话"的论述,赞同你"古文不作语言交流工具可,然为一文学形式保留未尝不可"的提法。读了你的论文,禁不住想奔走呼号"还我中华传统文化,还我中华传统文化精神。"读大学的时候,在校图书馆里看到很多《道德经》、《易经》、《孙子兵法》的德文翻译。虽未细读,但慨叹老外对中国传统文化却如此青睐。而今天的炎黄子孙却漠视她的精髓。读了你的文章,觉得不仅自己应该好好补补古文这一课,也希望元元这一辈重新拾回中国传统文化这块瑰宝。一个星期天,带元元去美术馆看几位业余画家的画展。遇见一台湾游客,他对我说"台湾比大陆对国画保存得更好",这真叫人痛心。捍卫中国传统文化,希望年轻的李里不是孤军奋战,希望有更多的和声。

等你的信就像等一个难产的婴儿。我都要怀疑你是否在和我比内力深厚,看谁先将信付邮。

写完这封信,觉得有很多的话还未说完,有很多的问题想跟你进一步讨论。比如"宗教信仰"、"婚姻形式"等等。但我不希望你再花时间给我写信。望你多花时间考虑你的未来、你的发展。小兵孃孃在这里等着你的成功。

祝前程似锦!

代问爸爸、妈妈好!

小兵孃孃一九九八年十一月八日

二十六

李里:你好!

阴历的九八年实在是太长了。人说日子要过得快才会乐。从重庆回来,心里分明是觉着快乐的,有时的感觉就像电影《没事偷着乐》,可日子还是觉得难挨。是因为没事的日子太少,还是期望的东西太多,抑或等待的日子太长。真羡慕你单纯的日子,好好享受吧。

你有一位这样理解你的妈妈，能让你天高任鸟飞。

九八年发生的事实在太多。这一年中，我流了从重庆毕业后十年都不曾流过的泪。我不愿一一诉说这每一件触我流泪的事由，但我还是忍不住要告诉你，当我收到你的贺卡的时候，我竟也流了泪。后悔在单位的过道上拆了信，我为你深深地感动着。其实，我在重庆时就为你感动着。你表现出的对女性的深切的同情，是我从未从一个男子身上看到的，你又寄给我《桐花季节》这篇文章，让我更多地理解了你对女性的关切。你母亲对你的教育无疑是成功的。你婆婆、妈妈、爸爸常说你女孩儿心性太多，可这并不损害男子汉的形象。我相信很多女孩心中的男子汉的形象都像武打小说中的男主人公那样："腰悬三尺青风剑，胸怀柔情千万千。"一个真正的男子汉须是尊重女性、爱护女性的。我不敢把你再当作孩子看。最近常常多愁善感，劳心劳力的。我希望你不要像我，要多注意身体。好在我觉得你一天天地坚强起来。能承受更多的事，也能排解很多的事，有时还能安慰我，我很感激你。

你妈妈到成都来，这也是我这些日子最快乐的事。虽只是小坐了一会儿，也释了我些许挂念。从未有过对亲戚这样的感受。有朋自他乡来，不亦乐乎。我喜欢你妈妈，你身上有她许多的影子。"花言巧语"是最大的特点之一，赞赏人是一种情怀，一种为人的技巧，你的每一声问候，每一句关心带给我的都是快乐。但愿我带给你的也是同样的感受。

生命是短暂的，也是脆弱的。无需刻意追求什么，也无需给自己添些责任的枷锁，像楚留香一样也不错。我也应向你学习。

　　你在练太极拳了吗？我在看《结婚十年》。心想贤为他的青练太极拳,你要为谁练呢？我希望下次见你时,带的不是药瓶,而是花瓶。

　　你的一日三餐还好吗？寺里的中餐好吗？要时刻牢记:身体是革命的本钱。

　　以前许多朝夕相处的朋友、同学也离我远去了,为自己更美好的前程。我常常想念他们,也为他们祝福。同样的祝福给你。

　　祝你明天更好!

　　　　　　　　　　　　小兵孃孃一九九九年元月二十七日

二十七

亲爱的侄儿:

　　每当我提笔给你写信的时候,我都意识到自己在做一件愉快的事情,就如同在和自己的心灵诉说一般。也许这封信到你手中,我人也就到重庆了。

　　我一直想说的是:我要感谢你。上帝赐福于我,让我有你这良师益友般的侄儿。我们能撇开辈分的关系,平等地对话,用真实的心来交流,我真很高兴。作为家族的一员,我为你在文学上的造诣感到骄傲;作为朋友,我常切身地感受到你善析辨的思想、高尚的品质对我的作用。我想我说的话一点都不夸张。

　　昨天我又去医院看了生白血病的同事及另一位昨天才入院的

同事。这一年,我们仅有二十位职工的单位已有六位同事先后入院。昨天还生龙活虎,今天就躺在了病床上。人的一生会有多少莫测的风云。同事已知道了自己的病情,在床上看白血病患者写的书。看到同事因化疗掉光了头发,因吃激素一脸浮肿,我抑制不住自己的难过。她看到我的眼光,掩饰地拉了拉自己的帽子,可从她的帽檐边上已看出没剩多少头发了。回想平常我们一块儿出差,她都把头发吹得漂漂亮亮的。她知道她的病了,还是顽强地经受一次一次的化疗。白血病是治不好的,她的生命是有限的,我们也一样。无论是健康的,还是生病的,抑或已经发现生病的及未发现生病的,我们都要面对今天的生活。探望同事,希望唤起她多一些对生活的勇气和热情,同时也为自己增加生活的信心。我觉得应该给中学的孩子上堂课,课堂就设在医院里,让孩子们意识到生命的重要,生命的短暂,让他们懂得珍惜生命,相互关爱,让世界变得更加美好。不要和我们社会所提倡的在提高物质生活水平的基础上进一步提高精神生活水平的初衷背道而驰。

正如你曾说过我们的交往起了一种强化的作用。我常回忆你曾说过的一些话,它们的确强化了我许多的感受。无论是读书时、工作时,及与朋友的交往中,所以我要感谢你。

不必在意我提到的"电话的事情"。曾经带给我美好回忆的东西,希望留给你的也是同样的感受。它们带给我的今天的变化也是我始料未及的。今天,我和你王叔叔都能用理智来审视相互的感情也是这一变化带来的结果,感谢你。

你姨婆曾说,你喜欢文学,许是想逃避现实。我说正好相反。你和你妈妈更多地投入热情关注社会,而你更是用自己的才学去影响周围的人,这绝不是逃避,更多的是参与。我想说,我喜欢你们的影响。

这次到重庆,要给你们添麻烦了,先说声谢谢。

祝工作愉快!

问爸爸、妈妈好!

小兵嬢嬢一九九九年四月二十四日

申明:可以影响我的思想,不要对我的生活指手画脚。允许批评,不要指正。

注:亲人姓名

爷爷黄晋诚、婆婆苏应萱、姨公顾刃、姨婆苏应荷、荃舅公苏应荃、菘舅公苏应菘、六姨祖公李仲耕、族兄李炽昌、二姑妈李荣芬、三姑妈李荣惠、小兵嬢苏小兵、雪嬢苏瑞雪

读《黄氏远祖示后嗣子孙诗》有感

.

录原诗：

骏马匆匆出异邦，任从随处立纲常。

年深外境犹吾境，日久他乡即故乡。

朝夕莫忘亲命语，晨昏须报祖宗香。

惟愿苍天垂彼佑，三七男儿总成昌。

另录《黄氏家族辈分诗》：

毓圣元明福，继光辉丕昭；

先烈永存祖，德茂修加正。

吾孙李里，攻读于川师自修大学中文系。今年 4 月考完外语后，去蓉城访友。归来路经射洪、蓬溪、南充等地，意在考察县区风土人情以丰富知识。在余故乡射洪县，特走访了洋溪镇黄村坝。该村吾祖父母、母亲葬于斯。他虔诚地扫了墓，在家族同宗中抄得《黄氏远祖示后嗣子孙诗》一首。其诗颇有乡土文化价值。体裁是古诗七律体，内容无封建意识。教育儿孙流去异地时应怀"外境犹吾境，他乡即故乡"之高尚情怀。应严于自律做人，牢记祖宗尽孝道之规矩，晨昏问安于父母长辈。三七男儿应立志建业，报效国家。

晋诚于 1997 年 5 月 21 日午后 5 时

旅欧廿日印象记

题记:2003 年 11 月 6 日至 27 日,余有幸参加了由国务院小城镇改革发展中心组织的赴欧考察团,与全国各省市有关单位同志同到欧洲八国二十三个城镇考察小城镇建设。在忙碌的公务和游览之余,每日挤时记下日记。由于时间紧,内容多,不少地方只是走马观花,留下和记下的也大都是囫囵印象。回国后在日记的基础上略加整理,对一些印象较深但当时却日记粗略的片段加以补充润色,形成了此《旅欧廿日印象记》。

11 月 6 日(周四)   渝:晴   京:雨雪

今日于重庆启程,明日由北京出发旅欧二十日。晨 8:40 自渝江北机场起飞,10:40 抵京。

公安部小梁接机,到部招待所用中餐。饭后到北京鸿翔大厦,在此住宿。下午小城镇改革发展中心领导及有关干部组织此次出国人员在大厦开出国公务培训会。全国各地相关单位人员共 21 人参训。内容主要为出国应注意的有关事项及日程安排。

今日北京下雪,至晚愈大,路上已见积雪。此为北京今年初冬第一场大雪。

11 月 7 日(周五)　京:晴　巴黎:晴

9 时离鸿翔大厦,驱车机场,前往法国首都巴黎。原定 12 时许起飞的飞机晚点至 1 时 30 分左右起飞,乘机 10 小时,巴黎时间下午 5 时许(北京时间夜里 12 时许)到达。北京与巴黎时差 7 小时。

到巴黎时已近下午 5 时,抵戴高乐 1 号机场。机场建筑呈圆形,自穹顶中伸出一金属大臂,连结着四周多个片区,多层人行通道在各个片区中由高至低分层绕行。走过长长一段通道出来,方有导游来接。此前一概语言文字不通,除了东看看西望望,很有些摸不着头脑。

机场出来,才 5 点,天已渐暗。导游介绍巴黎下午天黑很早,果然。沿机场路乘大巴车前往市区。司机马可,意大利人,高个,很帅,用不很熟练的中国话向我们问好,导游告知二十天中全由他驾车。巴黎道路跟国内无大异,路上车也很多,虽挤,但秩序井然,依次前行,不像国内你超我抢。此时天边一抹红霞,晕染开来,很美。机场离市区二十六公里,但交通亦不畅,车速很慢,约五十分钟后到市区。市区内建筑均在六层左右,法国政府保护其古建筑,房屋均有两百到三百年历史。市区内无宽敞大道,街道较窄,十字路口多,周围建筑、街道让人想起十八世纪文学大师雨果、巴尔扎克笔下的描述。行人亦匆匆,远看穿着打扮与中国人无异,街道亦不甚卫生,甚至无多少身处异国之感。导游告知这段为贫民窟,我们要住之酒店则不然,是一高级度假村,建在湖边,名湖滨大酒店,三星级,条件不错。

到酒店,为一不太大也不很高的楼房。房前有一小块空地。感觉虽漂亮,但不大,气势小,皆因其土地金贵之故。我住四楼一单人套房。其摆设与国内宾馆无大异。正面一大玻璃门,门外是阳台,隐约见到不远处有一大湖,景色应很美,晚上看不清,明日再仔细欣赏。

未倒过时差,夜2时多醒后闭目养神,似未再入睡。4时许起来补记下前两日日记。

今日据说游卢浮宫等地。

11月8日(周六)　巴黎:晴

上午安排参观卢浮宫。对地形不熟,又不识法文,只能在车中打望。途经埃及方尖碑,下车拍照。这里为一建有许多精美雕塑的广场,法国海军总部,美国使馆等也在此。

之后参观卢浮宫。卢浮宫始建于1190年,经六百多年方最后全部完工。系法国皇宫,现为博物馆。这是一座U形宫殿式建筑,珍藏着法国及欧洲各种流派的艺术珍品达40多万件,被人们称为万宝之宫。展品分古希腊—罗马艺术、古埃及艺术、古代东方艺术、雕塑、绘画和工艺美术六部分。其中最著名的为“宫中三宝”,即雕塑古希腊爱神断臂维纳斯和无头有翅膀胜利女神尼卡以及达·芬奇的油画《蒙娜丽莎》。

进入展厅,匆匆浏览,匆匆拍照。印象是柱廊高大,塔楼华丽,雕塑精美,油画逼真,栩栩如生。大家抢着拍照,尤其是蒙娜丽莎画像前,人头攒动,闪光灯不断,参观倒被放其次。“三宝”因“二宝”较熟，反不那么吸引人。胜利女神放在一大厅上楼的过厅正中，两旁有石梯通往其他展厅。女神站在一艘船上，无头，面对观众，两翅张开，很有气势。绘画厅的油画逼真壮观，有的大型油画人物多达上百人。不少画家在此临摹，很令我惊叹，在国内这样珍贵的藏品是不允许拍照和临摹的。拿破仑加冕一画因导游在旁讲解留下较深印象。画很大，画面上有近两百人。画中拿破仑正为其皇后加冕，旁边各人表情虔诚、肃穆。中有一老妇人，据介绍为拿破仑之母，因不高兴拿破仑娶妻比他大八岁，还带着一个孩子，故表情有些不悦。画面色彩丰富，人物各异，有的金属饰物近乎真品，确实是艺术瑰宝。惜因时间紧，由导游带着，东转西转，只参观了三宝、古希腊艺术的一部分及绘画的一部分，宫内方位、楼层全然不清。对卢浮宫只留下雕塑精美、油画逼真、宫殿大气之总体印象。

巴黎卢浮宫内广场上

　　参观后乘电梯下到底层,到华人建筑师贝聿铭设计的玻璃金字塔(用玻璃作建材是为了地下层采光良好)大厅,再乘电梯鱼贯而出上到地面。外面是 U 形宫殿之中的广场,建有一小凯旋门,与金字塔遥相对峙。法国建筑之雕塑确实令人叹服,房顶上、墙上、门框、窗框上都有,不仅多而且极美,让人爱不忍离。但大抵都只能在车上匆匆浏览。

　　下午参观埃菲尔铁塔。排队半个多小时方得乘电梯上去参观。排队间只见一法国老人站在人们排队的栏杆外一直拉着手风琴。他脚下放一破旧纸盒,内装人们零星给的硬币。多瑙河之歌的旋律,从他的琴键间缓缓流出,那么娴熟,那么优美,深深打动了我。他脸上始终带着微笑,虽穷困却善良而乐观。他那善意的笑脸,特别是看着小孩时的慈爱,给我留下极深印象。欲给其钱,然当时身边只有出国时换的大钞,只好作罢。此后老人的形象一直盘旋在脑海中,良久、良久……

　　埃菲尔铁塔早就慕名。严格说,它与巴黎的古建筑并不匹配,但它的高大、它的建筑风格、它的特色及俯瞰塞纳河全景的功能使它成为巴黎著名景观。铁塔建于 1900 年,修建时就设计了电梯,可直达顶层,方便人们参观。导游只给我们买了上到二层的票,大约是为省钱。在电梯内只能看到一些铁架。出得电梯,中间是一层大厅,设有旅游纪念品商店,周围是走廊。站在廊边可俯瞰下面风光。铁塔建在塞纳河边,在走廊上可看到塞纳河上的多座桥梁和周围的各种建筑。因塔上风太大,不敢久留,只拍照两张便匆匆下来。铁塔下是一大而漂亮的广场,广场一面是铁塔,一面是现在的炮兵学院——法国最早的骑兵学院——拿破仑时期的陆军学院,建筑也很精美。拿破仑曾在其中就读。广场周围栽种有两排高大整齐的栗树,树叶一片金黄。秋日的巴黎色彩很美,米白色的建筑,映衬在层层叠叠金黄、浅黄、深黄、土黄及夹杂着各种绿色的树叶中,美不胜收。

之后导游带去购物。回宾馆已 9 时过一点,司机马可很着急,导游介绍法国人工作超过 12 小时就算违法,将被罚款 150 欧元,一天工作就算泡汤。所以马可不怕饿饭,就怕超时。

11 月 9 日(周日)　巴黎:阴,间断小雨

今天参观凡尔赛宫、凯旋门等地。

原定 8:30 出发,出门时却飘起小雨,大家又返回拿伞。过了出发时间,马可已生气,对中国人时间观念不强摇头叹息,无可奈何。

据说我们住在巴黎西北郊,凡尔赛宫在巴黎西郊,路程不算远。沿途一直欣赏着巴黎美景,尤爱那多彩、美丽的各种树木。途经塞纳河,两岸建筑各有特色。尤其是原火车站——现在的骑士博物馆给人印象很深。河上有很多桥,桥上和侧面都有雕塑,为塞纳河增色不少。其中一座桥旁还塑有美国人送的自由女神像。

到凡尔赛宫。人很多,参观者摩肩接踵,拍照也只能寻机而动。凡尔赛宫始建于 1661 年,距今 340 多年。占地 111 万平方米,大门用黄金和黑铁铸成(我们走的侧门,无缘见)。宫殿全用大理石建成,石质细腻,色彩斑斓。宫殿里十分漂亮,陈列着皇室家具、用品等,金碧辉煌。其家具复杂的装饰,反映出当时人们崇尚奢华、繁琐的审美情趣。宫内也有不少雕塑和油画,导游介绍说均为皇帝、皇

后及皇亲贵胄们的塑像及画像,无太大艺术价值。但大厅外走廊上各种高大而宏伟的人物雕塑,宫殿的气势、豪华、精美,每个大厅墙上、顶上的各种装饰及油画仍令人叹服。特别是悬挂在宽敞的长廊中那各种华丽的宫灯所显出的雍容华贵及富丽堂皇实在令人赞叹。宫内最有名的镜廊,因我先从地图上读到,故参观时能认识。镜廊西墙由十七扇高大的拱形窗户组成,东墙由 400 面小镜子组成十七块拱形大镜,为宫殿更添气派及神秘。

之后参观宫殿外的皇家花园。花园规模宏大、植物造型讲究,均呈几何图形,并被精心修剪,一丝不苟。从中可看出欧洲人的中规中矩和刻板。据说凡尔赛宫的花园为欧洲的花园造型开了先河。花园里还有传统的宝马道、喷泉、水池、雕塑和装饰性河流与花坛、假山巧妙地结合在一起,更添其迷人魅力。其时天下起小雨,又怕时间错过,急赶往集合处。真是来也匆匆,去也匆匆,对其建筑的方位、整体形状等均不十分清楚,但也无法,有这种机会实属不易,有遗憾也是必然。

乘车到凯旋门。凯旋门建在戴高乐广场中央,是古老巴黎的象征。拿破仑时代为纪念奥斯特里兹战役而建,是世界最大的凯旋门(巴黎有三处凯旋门,此处与卢浮宫内的小凯旋门以及现代新建的大拱门、埃及方尖碑均在一中轴线上,为巴黎建筑一大特色)。高48.8 米,宽 44.5 米,厚 22.2 米。凯旋门上刻有大量群雕、组雕,均为拿破仑时期的战事和功绩。因未找到地下通道,时间又不够,故未能近前和上楼参观,只能远远观望。且凯旋门正在维修,有的地方还围着塑料布,只留下一个总体印象,又是一憾。凯旋门正对着香榭丽舍大街,这是世界最美丽的林荫大道之一,全长 1800 米,宽 120 米,为全市主动脉。街两侧种植着参天的栗子树,道旁林立着巴黎最豪华的百货店、时装店、夜总会和影剧院。但今天是星期日,按法国惯例,商场都不开门,且我们是乘车经过,未能见其全貌。

下午参观著名的巴黎圣母院。此为巴黎最古老、最高大、建筑最出色的天主教堂,在欧洲建筑史上具有划时代的意义。它建于塞纳河中间一小岛上,有桥与陆地相连。它高大巍峨,又纤巧细腻,空旷而高昂,可容纳 9000 人进行宗教活动。前门上有各种群雕、组雕,摄下圣母院全景,并摄下大门特写。进去后是一座很长的教堂,不少人肃穆地坐在里面祈祷。光线很昏暗,气氛虔诚而凝重。参观的人敛声静气,轻轻地交谈,缓缓地前行。教堂四周高高的墙上有五颜六色的玻璃窗,窗面上画有许多精美的宗教人物,七彩斑斓,令人叹为观止。出得教堂大门,还以为有别处可去,正东寻西找,却已到大门外广场上。心有不甘,因雨果笔下《巴黎圣母院》中的场景一处未见,敲钟人卡西莫多的形象还在心中盘旋,美丽的吉卜赛姑娘、阴险狠毒的神父、古老的大钟都那么令人神往。于是又返回教堂,里面正有嬷嬷们在收捐款,我也捐 1 欧元。嬷嬷们的身旁有一长条桌,上摆有很多油灯,2 欧元点 1 盏,酷似国内寺庙里替人们消灾祛病的油灯。看来东西方文化中还是有很多相似之处。仍未找到其他通道,只好又来到广场上。此时才见到教堂上面有人在行走,一打听,方知可以上楼参观,后面还有很多去处。只怪导游心怀小诡计,既怕花钱,又只给我们 30 分钟时间,很多地方无缘得见,心中一直耿耿。圣母院的广场上还有一著名景点,那便是巴黎圆点(也叫零点),为计算法国各地与巴黎之间距离的始点,拍照留念。

　　还剩下不少时间,但导游已不再带我们参观,又去购物。途中还看到巴黎市政府,其建筑与雕塑也令人难忘。再经过蓬皮杜艺术中心,该建筑十分现代,与巴黎古老建筑的风格更是格格不入,刚建好时批评声一片,但现在已成为巴黎一大景点。广场上有几个搞行为艺术的人,他们化装成各种人物,道具与身体完全融为一体,只露出化了妆的头部,高高地一动不动地站在广场上,面前也放有一纸盒,任人扔钱。若要与其照相,也要给钱后方可。归来乘车途中路过法国总统府——爱丽舍宫、总理府及各国大使馆等。

11 月 10 日(周一)　巴黎:晴,晨有雾

　　上午进行公务。即考察组织者请有关人士为我们讲课。讲演在酒店底楼一小型会议室举行。会议室能容 24 人,进门的右、后面为墙壁,左、前面为大型落地门窗,采光很好。桌椅摆设呈 U 形。正面墙上有一白色大幕布,供讲课时投影使用。今天为我们讲课的是原中科院地理研究所蔡中夏教授。他于 1989 年到法国波尔多大学读博士,现留法任教。

　　今天讲课的主要内容为法国小城镇建设及城市保护情况(记录如下):

一、首先介绍法国地理环境

　　法国共有 22 个大区、96 个省、36551 个乡镇,6000 万人口。每平方公里 165 人,相当于中国的十七分之一。人口增长慢,自然增长率为千分之三。三个孩子以上有政府补贴,享受多种社会福利待

遇。

城市化率达 75％,我国仅达到 30％。乡村人口只占 25％,真正的农民占全国人口的 3％—4％。法国人没有户口,自由选择职业。第一产业人口很少,以 15—60 岁以上人口计算,第一产业占 4％;第二产业占 26％,第三产业占 70％。外国移民多,占全国人口的 7％—8％,保守估计约 400 万。其中 45％来自非洲、阿拉伯地区,45％是早两个世纪前的欧洲南部移民,亚洲移民也有一部分,估计在 30 万—50 万。

法国是经济高度发达的工业化国家。拳头产品为高速铁路、空中巴士、航空航电,80％电力来自核电站,对水电、火电发展不重视。1990 年停止开采石油,因其污染环境。煤从国外进口,是世界农产品出口大国之一。注重发展农产品深加工。如不出口葡萄,但出口葡萄酒,不出口粮食,出口粮食加工产品。每个农业劳动力养活 67 个人。劳动生产率高,土地资源丰富,人少地多,每年有一部分土地闲置,森林覆盖率为 35％。

二、法国小城镇情况

这里的小城镇指人口在 5000—10000 以上的城镇。人口在 10 万以下的城镇多为省府所在地。法国的市政府机构通过选举产生,民选产生议员。如克利西小镇,有 10 个常务议员,20 个普通议员,组成市府行政机构。选 12 个副市长,每个副市长分管一方面事务,重大决策由市政议会议定。每周三上午 11:00 到下午 1:00 为第一副市长接待时间。在法国,市长、副市长都有职业,有工资,另在政府拿补贴。如有的是小学教师,每天上半天班,另外时间教学。补贴仅 200—300 欧元,城市越大补贴越高。法国 SPI 镇有一个名叫颜如玉的女华人市长,很有名。

宪兵、国家警察、城市警察对国家安全和治安各负其责。宪兵负责国防和边界;国家警察负责城市、国家治安,几个大城市设一个国家警察派出所,如克利西约有 80 人建制的国家警察派出所;每个城市还有城市警察,不佩枪,负责轻罪犯的处理。法国人重度假,外出前向派出所报告度假时间,派出所会在这期间不时派出人员巡防。该国实行多党制,分左派和右派。左派最大的为社会党、共产党等。右派有戴高乐党、民主联盟等。自由、平等、博爱是他们的追求,在欧元上就刻有这三个词。

该国劳动力人口占总人口的 42.2%,约 2500 万到 3000 万。每个城镇劳动力人口的 12.5% 为失业率。老板雇工必须给最低工资,每月约 4000 法郎。有法国国籍的人可申请救济金,由政府管理。

三、国家财政

法国税收分为直接税、间接税、地方税、公民义务捐等。

1. 直接税收。包含两部分:(1)由每一个自然人、工薪者交所得税形成。个人应申报自己全部收入(工薪收入和资本收入),每年三月申报一次,第二年九月前一次或分三次缴清;(2)工商企业利润申报。由自己报,也可能查。若逃税,一旦查到后果很大。重点查企业。

2. 间接税收,即消费税(TVA),收 19.6%。企业也纳此税。加上特别捐税,如抽烟、喝酒、看电视等。

3.地方税收,为城市主要财源。也含两部分:(1)房地产税、居住税;(2)能源、水、清洁卫生税,由城市议会讨论决定。

4.公民义务捐,即医疗保险、养老金等。在个人毛工资里扣(每月扣十几项,如一个教师,月收入 2 万法郎,要扣掉 4000—5000 法郎)。

政府支出:

1.日常行政运行费。包括道路改善、电话、工资、补贴、各种协会的资助、救灾、贷款付息、还债、特别支出等。

2.投资。用于市政建设、购买土地、器材、开办公园,新建工程、道路、污水处理站等。

四、城市建设与保护

公元 486 年,巴黎成为法国首都。从一个渔村开始发展起来,自亨利四世(1594—1610 年)开始有规模发展,卢浮宫、协和广场、三月广场、爱丽舍大街均建于这一时期。到 1789 年有 70 万人口,当时建有城墙。为保护古巴黎,二十世纪七十年代法国政府决定在巴黎周围建各个中心新区,将写字楼、银行等建于此,隔墙与巴黎相对。在巴黎西面有逆城市化中心,建设有商业区,满足富人区生活需要。另外还建有五个新城。先建地铁,改善居住、工作条件。巴黎市区人口为 280 万—300 万,许多人住在郊区。解决交通的主要手段为地铁。有 14 条快速地铁,5 条普通地铁。全巴黎市区有 300 多个地铁站。因建地铁很贵,现在有的中小城市开始发展有轨电车。

下午继续公务,由蔡教授带去参观巴黎新城区。到新区前蔡教授特意让司机马可绕道塞纳河边,看二十世纪六七十年代建于河边的几栋筒子楼,指出其对巴黎市区风格的影响。好在法国政府及时纠正,只建了几处,尚无大碍。而我国似未接受别国的经验教训,还在大肆兴建这种水泥森林,不由不令人对此心生愤懑。

之后参观巴黎西边的新区 LaDefense(音:拉得放斯)。此为法国政府为保护老城区特意在巴黎周围建的新区之一。其建筑全是玻璃钢结构的高楼大厦,十分有气势。前次提到的大拱门(亦称新凯旋门)亦建于此。此门为一拱形建筑,三面均有许多整齐的窗户,全是写字间。LaDefense 原为巴黎西北边的一要塞高地,系攻打巴黎必经之处,法国人曾在此保卫巴黎。此处还有一纪念保卫巴黎之战的群雕,在群雕前建有一个很大的广场和不少大商场。其中一大超市装修漂亮,货物齐备,一派豪华,导游让大家进去半小时,匆匆看一小部分。

晚又到巴黎市中心埃菲尔铁塔附近吃晚饭。晚饭后在饭店对面免税店购瑞士小军刀 4 把,作为家里亲人生日礼物。

11 月 11 日(周二)　巴黎:晴,晨有雾

上午在酒店继续公务。由国家警察局负责公共安全的米歇尔上校为我们讲课。上校在巴黎省一级公安局就职。他讲课的内容为:

一、法国警察系统的组织状况

法国有 22 个大区(相当于中国的省),98 个地区,36000 个市、镇、居民点,6000 万人口。在法国维护社会治安秩序的警察有三

种。他们分别是属于法国内务部管理的国家警察,属于法国国防部管理的宪兵(类似我国武装警察),属于各城市管理的市镇警察。

(一)POLICE NATIONALE——国家警察。一万人以上设国家警察。全法国约有 14 万国家警察。

(二)GTNDARMPIT NATIONALE——国家宪兵。在小城镇和乡村负责维护治安秩序,管辖地域大。

(三)POLICE MUNICIELE——市镇警察。直接听命于市长和市政议会指挥。

前两类每个市镇必有其一,经费都由国家承担。后者可有可无,经费由该市承担。比前两类权力小。一、二类有执法权力,三类只有一种权力,即违反交通规则和治安处罚条例等的处罚罚单。且一般不配枪,特殊情况下经过申请方可配枪。在法国轻罪最高可入狱 20 年,重罪可处以死刑,但 1981 年后取消。法国有国家警察 13万,加上内勤,共 14.5 万人,另有很多城镇警察。在欧共体各国还设有流动的 PAF——空中和边境警察,但在欧共体之间不设。一致对欧共体之外,以确保公共运输工具的安全运行。法国有劳工法,空中和边境警察还要严格查验非法雇工。

二、就大家提问作答

法国一年发刑事案件 265 万件。破案率为 23%。刑事和治安案件共 410 万件。案件中以软性毒品(如大麻等)案及抢劫案最多。今年发生最多的是骑摩托车抢劫(由意大利传入)。青少年犯罪增多,出现了新型犯罪形式,如抢好车,从后边驾车撞车,待司机出来后火速把好车开走,以北非移民年轻人居多。在法国也发生单身行人被抢劫的情况,因此一般不要单独外出,不要带太多现金和贵重物品,外出背包要斜挎在前边。

身份证在法国并不是公民唯一的身份证明。所以并不要求所有的公民都办身份证。全国每年也就几百万人申办身份证。负责身份证、护照、驾驶照、居留证等证件签发机关是特派员公署。每个省都有特派员公署,并下设分级机构,不属国家警察系列。该国主要通过诸如出生、死亡、结婚、选举、纳税、保险、驾驶执照等的登记备案对人口进行管理,各登记机关将登记情况反馈警察局。掌握人口资料的部门除特派员公署外,还有税务部门、社会保障部门、国家职业介绍中心和国家统计局等职能统计部门。而流动人口主要指那些不是法国人的东欧人或吉卜赛人。这些人到法国后要登记其全家情况,政府为其指定地点让其全家居住。但他们却不到指定地点而是骑着车到处流动,到处居住。看来欧盟各国取消了海关后,增进了大流通,促进了经济大发展,给欧盟各国的无业贫困者带来了大交流,同时也给各国社会治安带来了新的隐患。在今天,如何做好外来人口管理已成为各国需要共同研究的新课题。

警察的工资高出公务员的 30%。警察的退休年龄为 55 岁,男女相同,早于其他部门。退休后的收入按一生中最高工资的 77% 领取。

因米歇尔上校讲法语,要翻译,再加上大家提问,故今天讲课内容不多。

下午游塞纳河。在埃菲尔铁塔附近的码头上船。几天的游览,对巴黎市区的方位已有了大致认识。我们每天基本上都要经过协和广场、埃菲尔铁塔、塞纳河等地。巴黎市不大,塞纳河两岸矗立着她的主要建筑。游船较大,两层,能容二百来人。楼上为敞篷,整齐地排列着铁椅,供人坐其上观光。游客不少,多为外国人。沿塞纳河逆流而上,观沿途各样著名建筑。骑士博物馆、美术学院、法院……广播里的介绍不时被游客兴奋的喧闹声压住,只断断续续传入耳鼓。河面不很宽,在两岸保存完好的各种古建筑映衬下显得十分秀丽。每隔两百米左右就架有的风格迥异的各种桥梁,此时看得更加清楚。大家抢着站最佳位置、急着拍照。游船经过小岛,巴黎圣母院就耸立其上,今天方得以观其全貌,稍解心中遗憾。船绕岛而过,从其右面顺流而下。此时又得以观卢浮宫临塞纳河一面的全景。再往上经过铁塔、铁塔后的自由女神塑像,看清这像其实是塑在靠桥的一小块陆地上而不是桥上。最后船又绕过这块陆地逆流而上至上船时的码头处下船。因船上人太多,那种想象中坐在船上啜着咖啡、悠闲地观赏两岸风光的浪漫情调全无。惜哉。

塞纳河上的卡鲁塞勒桥 左为卢浮宫

上岸后乘车去参观巴黎公社起义纪念墙。途中稍有堵车,正好仔细观察两街建筑。街上房屋至少有一两百年历史。从街头望去,整齐地排列在街道两旁。高度均在六层左右。其窗户长宽比例适中,大约是遵循了黄金分割规律。每扇窗外、门外都有铁花护栏,远远望去,一排排整齐划一,既统一又有变化,就像一首首有着起伏韵律的优美乐曲,让人不由想起"优秀的建筑就是凝固的音乐"这句名言。其建筑各有形状,注重线条,阳台下均有托物,有的复杂,越到现代越简练。墙面上刻有不少雕塑作装饰,多为人物、花果等。装饰繁复,主要部位上雕塑更多。所有房屋整体风格一致,但线条、装饰、柱头、立面又各不相同,让人能从中看出建筑师的各具匠心。墙面颜色均为米白,配上统一漆为白色的门窗,透出贵族般的高雅。近现代稍有在此底色上加一点粉红者。街上的路灯亦古色古香,煞是精美,更增添了巴黎街道的美丽和精致。据介绍,所有房屋必须十年清洗一次,由房东负责,政府予以补贴,故墙面、门窗都很干净。窗户和阳台门都整齐地关闭着,亦无任何悬挂物,更不用说那五花八门的各类广告,警察对此负责。街面看不到一根电线,所有线缆全走地下,法国政府早在十八世纪就搞地下建设,故地面十分清爽。市区内街道不宽,但很多。走过一段街道就会出现倒人字形的岔道。"人"字撇捺间的空处又是一排房屋。我尤其喜欢这两街交界处的房屋。交汇处呈一个八字形平面。平面处建有门窗、阳台。爱美的主人种植的各种花草和雕花护栏相映成趣。楼下面有一小片空地,有的也栽种有花草。那阳台总让我不由自主地想到当年站在那儿看着往来人群、漂亮的、细腰长裙的淑女少妇。途中还经过共和国广场。广场中心有一圆坛,圆坛四周塑着几位女神,一位手拿橄榄枝的女神高高地站在坛中心,酷似美国的自由女神像。在巴黎这种不同的广场和雕塑在街头能看到多处。

之后到市区东北边的拉雪兹公墓。巴黎公社起义纪念墙在公墓的最里面。这是巴黎市区内一座很大的公墓。市内居民和一些一般名人埋葬于此,故也有不少人到此参观。公墓内的墓群与我国的公墓和外国电影上见到的都不太相同。有很多各种各样的墓形,不少墓上有各种复杂的雕塑和塑像,有的塑像平躺在墓上。能看出财力不同人家墓葬的差别。有的很大,像一小型宫殿;有的与我国眼下一些艺术墓形相似;但更多的是像一小房间的窄窄的墓体,长方形,内空大约只有 1×4 米、高 2 米。有门,均上了锁。极个别无人看管的墓门洞开,可以看到正对门的里墙角有一供台,可放供品,上面放有十字架。据介绍,从地面有通道直通地下。墓的下面很深,有的人家墓内层层叠叠,几代人都葬于此。在公墓内走了十来分钟,得以仔细观赏。同行者不少人不太愿来这里,而我却很乐意。这既可以了解法国人生活中不可或缺的另一面,而其墓葬又给人以艺术的享受,虽然其中难免隐含有一丝丝悲凉。到达目的地。巴黎公社起义纪念墙就在公墓最里一侧的围墙上。围墙不高,取其中一小长方块,漆上与深色围墙不同的亮色,刻着公社起义时间和其他有关法文。面积很小,字也不多,墙的下端有参观者献的鲜花,墙前一小块空地,供人拍照,仅此而已。在深为感慨的同时,从幼年时期就在脑海中固有的巴黎公社起义和共产主义的神圣从圣坛实实在在地跌落到了地面上。

11月12日(周三)　巴黎:阴,间断小雨

到郊外参观小城镇。晨下起小雨,沿途堵车。导游说昨日11月11日是第一次世界大战停战日,全法国的大节日,放假,车辆通畅。今日堵车严重,又天雨路滑,35公里路走了两个多小时。

参观的小城镇名 SAINT—QAENTIN—EN—VVELIN(音:山岗旦)。此处二十世纪六十年代是一些小村庄,一九六五年后由戴高乐总统批准建市。政府在此征地,在七个小村庄上兴建而成。整个城市建筑不高,多为二三层小洋房。房屋设计精美,可看出二十世纪六七十年代各不相同的建筑风格。此处原仅 5000 人,建成小镇后增至 4.5 万人。雷诺研究中心建于此。SAINT—QAEN-TIN—EN 是一湖泊,沿湖有西班牙设计师所建的"湖的拱、湖的心"等建筑。房屋十分漂亮,四层高,很有特色。为该设计师在法国的第一次设计。原材料价格很高,许多模具用过一次后即毁掉。全为公务员居住,一家人一般住 80 平方米左右。以"湖的心"价格最贵,每平方米 5000 欧元。

该镇先建居民区,后建中心镇、商业区及市中区。在法国,一个镇里教堂、政府、绿地、池塘及体育设施必不可少。一般区民区集中一片,商业区集中一片。居民区有类似于我国居委会之类的组织,但职权大于我国居委会。政府有六百名工作人员。为我们作讲解的政府女工作人员带我们参观了一个多小时,临走时团长向她赠送了我们由国内带来的礼品,她十分高兴。因雨较大,基本在车上浏览,只有看湖边建筑时下车避在屋檐下听了介绍。时间很短,对小

城只留下一个美丽的总体印象,连照片都未留下。

下午参观建于巴黎市区蒙马特高地的圣心教堂。前往目的地时,经过一条有地铁高架在外的街道(这也是法国地铁的特点,常常会有一段裸露高架于地面,然后又穿越地下),铁轨下面卖菜的、卖肉的、卖鱼的、卖水果的比比皆是。脚下污水横流、垃圾遍地,人们系着围裙,穿着筒靴,有的买,有的卖,搬的搬,扛的扛,既忙碌又混乱,真惊讶法国也有这样的地方。同行的漆团长急忙用摄像机摄下这一场面。大巴沿着这条街一直往上,到一大街处停下。下车后穿过一条斜着向上像小巷一样的街道就来到圣心教堂脚下。该教堂为纪念黎塞留主教而建。该主教在法国很有名气,在位时权力极大,法皇不满于他的权力,将其杀掉。后来为纪念他,在蒙马特高地的山顶上建立了教堂。教堂为一组哥特式建筑,精美而庄严。由下面往上望去,主塔楼高高的尖顶直刺云霄。山脚下分层建起绿地,正面一大坡很有气势的石级,沿石级而上,两边景色很好。路边有几个黑人拿着绳索对着路人比划,不知要干什么。导游告知这一带治安不好,不免让人紧张。上得山顶可俯瞰巴黎,一片城池,别有韵味。

进教堂,里面亦一片肃穆。欲拍照,不允。参观教堂,与巴黎圣母院既有相似又各有特色。雕塑、画像都令人喜爱,很有艺术情趣。因走马观花,无太多具体印象。出得教堂,沿后面绕行。教堂侧面有小街,许多卖工艺品的小商店,还有一块平地,可在此处喝咖啡,小憩。沿街有不少漂亮潇洒的法国画家拿着画板站在街口。只要你愿意,给上10欧元左右就可让画家为你留下肖像。这个时候你可以坐在山顶,品着咖啡,看着风景,好好地领略一下异国风情。但因此处不甚安全,加上语言不通,又无导游,不敢逗留太久,只好匆匆下山。

下蒙马特高地后又参观了位于协和广场附近的法国荣军院。此院建于拿破仑时期,是一组呈口字形的一楼一底楼房,四周整齐的房屋围出了中间的空坝,虽精美却也显露出岁月流过的痕迹。二楼塑有比真人还大的拿破仑塑像,他威武地站在二楼正中面临院坝的走廊上,不由人不想起他曾经有过的威震欧洲的辉煌。这一面的楼后还建有一高出楼层的漂亮圆堡,无言地述说着荣军院昔日的显赫。战时残疾军人们在此疗养,现已改为军器博物馆。馆内存列着不少大炮、兵器,荣军院时期的一些古典人体雕塑也还保留在楼的两端。这些因在战争中让人血流成河、断臂残肢而生出无限恐惧的家伙,如今被人们静静地摆放在这里,黑色的铸铁和各异的造型与白色的大理石雕塑相互映衬,产生出像在欣赏一件件美丽工艺品的奇妙感觉。其中一座大炮尤为特别,它用铁架支撑着斜斜地平躺在离地面约一公尺的地方,长长的炮筒上塑有很多装饰。最有趣的是那两对正站立在炮身两头接吻的恋人,虽然那么小,那么微不足道,但从中传递出的欧洲人的幽默和浪漫给人印象却那么深,这真是战争与和平的绝妙结合,也表明和平永远是人们最美好的企盼。哪怕在战时,爱情和温馨仍是善良人们心中永远的憧憬。此时已近下午5时,光线不好,仍拍照几张,特别站在拿破仑塑像对面的楼里隔着院坝摄下了那已亮起一排排灯亮、虽不十分辉煌但仍无法掩盖其贵族气质的美丽的圆堡。临离开,又匆匆与两位守卫荣军院的女POLICE合影一张。

11 月 13 日(周四)　巴黎:晴

　　上午参观另一小城镇——马恩村庄,是巴黎周边五个新区之一,距我们住宿处 30 多公里。沿途较通畅,经过了马恩河,这城市大约因此河得名,顺利到达。该城也建于二十世纪六十到七十年代。此处建筑似乎没有昨日参观处精美,但别墅群还是不错。这座城市也是昨日"湖之心"建筑群那位西班牙建筑设计师整体设计。建筑均各不相同,公寓楼各有特色,参观两处。第一处我感觉不错。楼房十来层高,中间形成一大块凹下去的空地,周围建一圈石梯供居民休息。几处造型别致的门使这个小区呈开放形并与别处相通。第二处正面为一大楼,左右建有两栋十分对称的圆形大楼,高高的两个圆隔着主楼正面相对。主楼正中是一大片圆形空地。该小区呈半开放形。这处虽有特色,但我却不太喜欢。上述两处均为公寓房,贫民居住。住房一般也是 70—80 平方米,120 平方米的只有五六间。

　　今天天气很好,阳光明媚,因而得以下车三次。除上两处公寓外,还下车参观了法国路桥学校(公立,为法国和世界知名学校)以及电器工程学校(私立)。都是在学校外的公路边远远地观望。总体感觉是学校规模较大,建筑各有特色。电器工程学校的前面有一块用火山岩砌成的广场。广场中心塑有一地球轴。以金属为原材料,塑成像利剑一样的形体,斜斜地直刺蓝天,很有创意,拍照两张。这座小城有公墓,且公墓位已满。导游告知这标志着城市的成功,说明已住了几代人。该城的绿化比昨天的小城搞得更好。乘车出城时看到公路边一直有一道长长的像堤坝一样的土坡,上面长满青草、树木。导游又介绍这土坡是人为建成,下面覆盖着高速公路,其目的是为减少高速公路裸露外面给人们造成的紧张压力。在今日法国,城市建筑、建设中尽量减轻因过快生活节奏而给人们产生的压力和紧张之感已成为一种新型的设计理念。

下午本要参观先贤祠,但一车人大都嚷嚷着要去购物,导游又把我们带到了第一天去过的 PARIS ROOK(巴黎一瞥)和老佛爷百货店等地。别人购物,我瞎逛,很不开心。4 时后才带到原巴士底狱旧址,然此时天色已暗,心中的巴士底狱早已不在,唯留一纪念碑而已,昏暗中拍纪念碑一张。这时温度下降,开始刮风,急急忙忙上车。原说参观歌剧院也未得去。不过这一带从协和广场、埃及方顶尖碑、海军部、艾菲尔铁塔、议会大厦、夏洛宫、人权广场到马德莱娜教堂、歌剧院、卢浮宫等都多次乘车经过,虽未能细看,所幸购得巴黎景色明信片一套,可从中窥其美貌之一斑。

11 月 14 日(周五)　巴黎:阴,下午中雨

晨 8 点出发,离开巴黎至卢森堡。天阴着,路程有四百多公里。沿途一路金黄的树叶,那黄透着金色、橙色、土色,与深浅不一的绿夹杂在一起,层层叠叠,煞是美丽,与家乡植物大异,色彩十分丰富。离开巴黎后,大巴车一直向东前行。由车窗向外望去,树木逐渐被广袤的田野替代,视野愈来愈开阔。那田土是一大片一大片的绿,像铺着绿茸茸的地毯。电影中所见国外农庄的景象一一呈现眼前,极少渝州丘陵地区那种小块土地的情况。原欲拍照两张,因天色不

好,作罢。汽车一直沿高速公路行进,走一段便有一收费站,目的是让司机可停车休息放松。两个多小时后在一供乘客休息处方便、抽烟,有小物品可供游客选购。东欧共同体的国家均无国界,无需签证,径可前往。到卢森堡时,仅路边一蓝底、周围十二颗小黄星环绕的长方形欧共体标志表示到了另一国界。

卢森堡是法德之间的一个小国,面积2000多平方公里,40万人口(最大时曾为10万平方公里),首都卢森堡有7万人。几乎没有自己的产业,以银行业为主要经济,进行洗钱的行当。各种产品自他国运来,石油价格比周边几国便宜。在此工作的人收入高,消费也高。城中心有所谓的大峡谷,古为军事要地。公元963年德国一个大公爵到此,发现大峡谷(其实很小,在小国内称大)地势险要,在此建起卢森堡——自己的城堡,号称北方的直布罗陀。大公爵府其实只要一个士兵守卫。城中心有宪法广场、大军广场,大军广场因法路易十四在此集合军队得名。中午12点后到此,中餐后先到邻近的特里尔(TRIER,德国境内)参观。

特里尔为马克思诞生地,系德国一边界小城市。虽小却也很美,其建筑与法国大同小异,但更注意色彩的搭配。城内有教堂、步行街、商业中心、花市等。还有一古城门,距今1800多年历史,称为大黑门。街中一个十字架亦有此历史。教堂叫圣母教堂,与巴黎圣母院同时。几处均拍照留影。

马克思故居在步吕肯街10号。为其父亨利·马克思律师于1818年4月1日租赁。同年5月5日马克思在此诞生。1819年10月其一家搬至西迈昂街8号,马克思在西街住到高中毕业。其诞生地实际只住了一年多。房子为三层小洋房,一楼有马克思父亲进行律师事务的办公室,有家具陈设(不是原物),在此留言簿上题字(向马克思致敬,美好的共产主义社会一定能实现。中国重庆黄旬 2003.11.14)并拍照。楼上陈列有马克思、恩格斯工作图片,因不识外文,只得扫视一遍,拍照两张。

再由特里尔返回卢森堡。原打算参观市中心、大公爵府,因天下起中雨,大家未带雨具,且天色很暗,无法拍照,故大家要求先到酒店住下。住卢森堡水银酒店,条件很好。导游小郑告知明日早起游卢森堡,然后再到比利时。晚饭后雨渐小,到街上转了一圈,看了看商品价格。卢森堡街景与巴黎又不同,无太多排列整齐的建筑,但有些建筑与巴黎也无大异。

11 月 15 日(周六)　卢森堡—比利时:阴

晨 8 点由水银酒店出发。之前先参观市中心宪法广场。宪法广场中塑有金女人塑像。广场边上即大峡谷。说大峡谷实际上是在两山之间的一片凹地。晨起天气不太好,也未看清石栏下凹地的模样,在灰暗中匆匆拍峡谷照片。之后去参观大军广场。这里是市政府所在地。在欧洲,政府并不是那么板着脸,许多国家的政府门前就是市场,摆有菜摊、花摊、水果摊等。卢森堡的市政府门前也同样,有很多摊位,特别有趣的是用货车摆的摊位。车身的一侧放下来,车厢就成为柜台,上面铺有台布,安装有很好的灯光设施。柜台上摆好肉、蛋等货物,在灯光的照射下显得很漂亮,很有特色。

再去参观卢森堡大公爵府。十四世纪修建,现仍为公爵府。建

卢森堡的清晨

在一不大的街上。看上去跟其他房屋也无太大区别,只是大门前有一个士兵站岗。士兵的服装、仪态都很引人注目。他站立一会儿就会自己举枪、立正,正步前行,又转身正步走回原地。立定时腿高高上抬再用力地收回,最后笔挺地站立于哨位,看上去很有意思,不少参观者都在此好奇地驻足观看。从公爵府街往下穿过一条小巷又到一不大的广场。广场中心有现公爵的母亲夏洛特女公爵塑像,因曾领导卢森堡人民抵抗德国人入侵,为其塑像以资纪念。广场四周有坐椅,可供人休息。但在这些地方几乎看不到本城人,显得很清静。

　　卢森堡市不大,转一圈又回到大峡谷处。现在是在另一方位,俯瞰峡谷,可看到下面已全部建起房屋,还有教堂。峡谷一面的岩壁在公元 963 年建成了城墙,距今已有一千多年历史。城墙内凿有地道,供作战时通行。岁月的沧桑使城墙只留下不长一段让人们还能回想起当年修建时的雄伟和辉煌。因时间关系,未到城墙参观,导游带我们乘电梯直接下到峡谷底处,近距离看到了峡谷里建筑的漂亮房屋及谷底使地形更险峻的一条小河。导游告知如有外族侵入,峡谷下的人们便迅速上到峡谷上的城里避难。在下面也很少看到当地人,只偶有一两个修女走在窄窄的小街上,更让人领略到异国小城的清幽。

　　10 时便匆匆看完卢森堡国,确实是小国,总共才不到 3 小时。然后乘车前往比利时首都布鲁塞尔。一路上天空时阴时暗,两旁金黄的树木比昨日更多,亦有广袤的田野和绿地,不时有奶牛在草地上吃草,一片和平静穆的景象。从车窗内拍下高速公路、路灯、树木,最后抢拍一张草地奶牛图。沿途景色很美,令人不舍闭目。

　　比利时比卢森堡大,面积 32000 多平方公里,1500 万人口。首都布鲁塞尔面积 162 平方公里,人口 90 多万,使用英、法、荷三国语言。1830 年 10 月 4 日独立时由一位德国公爵做国王,现已有第六代国王。该国的贸易额占世界贸易额的 3%,是欧洲贸易交流中心。世界多国人员来此开会、进行世贸。欧共体议会亦在此,不少国际性机构也建于此。

　　布鲁塞尔城边有一片不小的森林,环境优美,空气清新,车行其间,就像在公园中行驶。穿过森林,渐进市区。先参观其有象征意义的 50 周年纪念门。此门建于比利时独立 50 周年时的 1880 年。门很高大、雄伟，门上塑有群雕，两侧建有半圆形环廊，让人联想到古代的宫殿，此门也称该国凯旋门。门的另一面左右两侧分别是军事博物馆和汽车博物馆。其中军事博物馆不收费，导游带我们进去参观。馆里陈列颇丰，有古代作战时的盔甲、长矛，近现代的枪、炮，还有飞机、坦克、军舰，让人大开眼界，只是时间紧，无法仔细观赏。

中饭后游布鲁塞尔市中心。参观了美食街，极富浪漫情调。几条小巷内全是餐馆，小桌椅摆在门外，在巷两旁整齐地纵向排列，桌上的餐布、餐巾大红大黄大紫大绿色彩搭配，十分鲜艳却不乏艺术，加上精致的杯盘碗盏、虾蟹海鲜等给人留下深刻影响。美食街食客不多但游人如织，大概都为参观其异国风情吧。穿过美食街小巷和一条街道，到达该市有名的大广场。大广场在今天看来其实并不是很大，但四周的建筑物十分精美，均建于 1695 年后，为当时很有势力的各种工会所建（据介绍，1695 年前的建筑被路易十四大军炸掉），现这些房屋已成为私人住宅或商场。广场东边是市政府，其房屋为歌特式建筑，墙上有雕塑，房顶是高高的尖塔，极像教堂。该建筑的中门不在正中，两侧的窗户也不对称，很有意思。广场上还有一栋小楼因马克思当年在此写下《共产党宣言》而著名。之后参观比利时最著名的雕塑尿童小于连。这个被称为布鲁塞尔市第一公民的小孩，相传在十三世纪中叶一次反侵略战争中，当敌人的导火索点燃后，他急中生智，撒了一泡尿浇灭了燃烧的导火索，拯救了城市和人民。为纪念他，比利时雕塑大师捷罗姆·杜克恩诺制作了姿态生动、形象逼真的撒尿小孩，为布鲁塞尔的著名景点。导游带我们到一条小街的转角处,看到半圆的铁花栅栏内一人高的地方塑着一个小小的孩童,面对小街撒尿,形成一股小小的喷泉。此前对尿童的想象与眼前看到的实物感觉大相径庭,很有些出人意料。之后导游让大家自由逛街市。一行人匆匆地购了几百元巧克力。我也购了一点便宜的。再在其他店里买了一些小工艺品。我们这一行人好像都十分有钱,花钱大方得很,足足地衬出我的寒酸。我倒也并不自卑,精神的富足在我看来远胜于物质之上。布鲁塞尔的商业十分发达,街上商店鳞次栉比,一个街市中心还有许多棚摊,出售各种工艺品,许多物品也令人喜爱,但与人民币比,确实太贵,不愿乱花。

在街上又看见几个以形体艺术展示自己以讨钱的人。他们有的化装成老人,有的化装成工人。其化妆很好,抢人眼球。如一个老人,脸涂成银灰色,头和身体均用一整块灰布裹着,显出从头到脚的银灰色,摆着姿态站在街边商店旁,有人与他照相便更换一种姿势,照完后指着脚下的盒子要钱。他们的动作很机械,像机器人,很有意思。另外还有几个穿红着绿的流浪艺人在街头歌舞弹唱。

布鲁塞尔的建筑亦与法国巴黎相似,但不如巴黎建筑显得那么古老、完整。街道上新老建筑均有,都不很高,风格亦与巴黎一致。街道窄小,有的地方还有小小的坡度,行人、参观者很多,映衬出其繁华和热闹。

11月16日(周日)　比利时—荷兰：阴,雨

晨8点离开酒店,今天到荷兰。离开布鲁塞尔前先顺道参观原子球所在地。原子球为1957年比利时人为万国博览会制作的模型,由九个大圆球组成,博览会结束后本欲毁掉,但该国人发现其有保留价值,故搬到布市一公园内存于露天供人观赏。现已成为该市一大旅游景点,到布市参观者均要前往一览。今天清晨天下着雨,景物都灰蒙蒙一片。

之后便驱车前往荷兰首都阿姆斯特丹。阿市距布市220多公里,其间距离两国各占一半。荷兰是一个低地国,其名字的意思即为地上的一个洞,该国有四分之一的陆地是与大海争来的,地形平均低于海平面3米。最高处海拔仅300米,最地处低于海平面6.5米,阿姆斯特丹低于海平面4.5米。Amster是一条河,dam为拦河坝,荷兰人公元十七世纪在Amster河拦起一座坝建成阿城,故名Amsterdam,有70多万人口(荷兰全国共1500万人口)。阿市也称北方的威尼斯,全市有102条运河,最主要的为帝王、王子、绅士三条,有90多个岛屿,1300座大小桥梁。桥梁各形各态,有的桥建成两半,需要时可以把桥拉起一半,还有的全用木头建成,桥桩浸在水里,很有特点。该城临海,运河内为淡水,荷兰人在Amster河建成了欧洲第五大河港。

到阿姆斯特丹前先顺道参观了荷兰著名的风车村和一个小渔村。风车村很漂亮,村头立着不少旧时的风车,还有很多条小运河,运河里有白鹅、鸭子在游来游去,与色彩厚重的幢幢木屋相映衬,给小小的村庄平添不少生气。这儿的房子建得很低,只有一层,多为

木结构,房下面有不高的一截砖石基座建在水里。房子的比例很特别,房顶很长,几乎占了整个高度的三分之二。据介绍,这样建造的目的主要是为防霉防雨。每户人家的房子自成一体,屋外有精致的小花园,有各形小木桥与陆地相连,在蒙蒙风雨中,整个村庄看上去就像一幅风景优美的水彩画。风车是荷兰的一大特色,该国以前大量使用风车的功力用以磨磨、灌溉等。古时的风车不很高,叶片很大,显得笨重。看到这些风车,脑海中自然地浮现出唐吉诃德与桑丘的形象。现在该国还在使用风车,不过数量却大大减少,外形也变得精致、轻巧,个头也较高,现全国有新型风车200多个。虽然老式风车已退役,但荷兰却保留了美丽的风车村供人观赏,这样既传承了文化和历史,又发展了旅游业,真是一举多得。

荷兰房屋厚重的色彩,让我想到了从巴黎出来各国建筑色彩的变化。从总体上看是从淡雅渐至浓厚,二者各具特色,在特定的环境里都很美。不过我更喜欢巴黎的淡雅。荷兰人很精明,讲究一分劳动一分收获,绝不占人便宜,但也不让人占便宜。上厕所也要收费0.5欧元(相当于人民币5元)。进村时还有当地人自行为旅游者拍照,出村时便让游客去取,每张6欧元。我出来也看到自己的照片,照得还不错,但觉得花钱太多,未拿,现在想来还有点后悔。另外该村很多人家在自家屋里摆上货物供人选购,多为工艺品、餐具、银器等,十分漂亮,但太贵,虽爱,却未购买。

之后又参观POLEDAM小渔村。POLE也是一条河,被拦坝为村庄。街也很有特色,很多卖工艺品的小商店,就像国内旅游地的小店,只是此为异国情调。

中午一点后方到阿姆斯特丹。进城时穿过一条连接陆地南北的海底隧道,约两公里长,上面为绥海(音),淡水,也是内海。虽在海底,因在车内,并无其他感觉。中饭后去游运河。到一码头处上船。这是一种供人游览观赏的游船,只有一层,为封闭式统舱。长长的船身,四面都装有玻璃,左右为活动玻璃窗,可开启。船内是两排带有小茶几的座位,中间一条通道,可容百十来人,虽未坐满,但人也不少,大都为各国游客。运河不是很宽,坐在船舱里,透过玻璃窗,可看到两岸窄窄的街道和排列整齐的房屋。阿市的建筑与前看到的又不同,多为山墙房屋,基本在五六层高。颜色较深又各有变化。每座房的房檐下都伸出一截带有挂钩的木头。导游介绍,这是当地居民为将家具吊上房而专门设计的。因为当时政府规定按门面纳税,市民为了少交税,都将临街门面修得很窄,而屋里却又深又高,家具从门口进不去,只好在铁钩上挂上绳子吊进去。十三世纪时荷兰人在阿姆斯特丹河筑坝建成了阿姆斯特丹市,现在运河两岸还有不少四五百年前的建筑,也都各有特色。岸边有很多船坞,不少人以船坞为家,从前这样是为了少花钱,而现在这已成为一种时尚,政府还要向以船坞为家者收取税收。坐在游船上,观赏着两岸异国风光,听着广播中的华语介绍,十分惬意。只是外面一直下着雨,光线不好,不宜拍照。游船弯来弯去,穿过好几条运河,最后来到阿姆斯特丹河出海处。1889 年荷兰人在这里筑岛建成火车站,车站下面有 9000 多条木桩。阿市因地面低,很多房子、墙均建于木桩上。木桩只要不露出水面接触空气,就不会腐烂,但一露出水面就开始腐烂。我们看到岸上有的房子已经倾斜,广播介绍这就是房下面木桩腐烂的结果。运河中许多桥下面也能看到不少粗大的木桩,这真是人类智慧的又一成果。下船时船长举起一个盘子站在门口,每个游客都得向里面投小费,我也投下硬币一枚(欧元 1 毛,人民币 1 元)。

荷兰是一个农业技术很好的国家。从十七世纪开始种植郁金香花,且十分疯狂,现已成为花之大国,世界上许多花都要到该国转手卖出。4、5 月是郁金香花盛开的季节,现在已过。导游原说今日去游鲜花市场,但不知什么原因未去。之后带我们去参观荷兰有名的钻石加工厂。厂不大,有专门的讲解员介绍钻石的一般常识。参观后让大家购买,最后免费喝热咖啡一杯。

从钻石加工厂出来,导游又带我们去看"野花",即到阿姆斯特丹有名的红灯区看妓女。久闻其名的红灯区原来在一条河的两面,两岸街道上许多像商店似的门面,门面不大,每间十几平方米。门面的各个橱窗内亮起红色的日光灯,玻璃橱窗内坐着或站着一两个着三点式服装的艳丽女郎,有的两个乳房均暴露于外。在幽暗的街道上,各个橱窗里灯光冥冥,个别女郎的服装倒还闪闪发亮。有的橱窗内能看到屋内的摆设:一床、一洗脸池,一两把椅子和几件生活必需品。窗上挂有帘子,女郎站在橱窗内与外面愿做交易的男人比划着价钱。一经谈成,男人进去,橱窗窗帘拉上,交易便做成。在主街的不少地方有可以转进去的小巷,小巷两边也是做同样生意的女子。有一条巷内橱窗里全是亚洲女人,一般年龄在 20 至 30 岁不等,漂亮的不多。另有一个肥胖的欧洲女人露出硕大的肥腿和滚圆的半边屁股,对多看她几眼的人都报之以狠狠的斜视。主街上有一喷泉,喷水的雕塑塑的是男人的生殖器,该城街道上的路障(铁栏)形状也像此物。

阿姆斯特丹市的标志性符号为竖着排列的三个"×"。导游读为叉叉叉,戏笑为该市的象征,船上广播中解释这三个符号系指三种灾害:水灾、火灾、黑死病。估计该市曾遭遇这几种灾害,故将此作为标志性符号,引以为戒。吃晚饭前经过一座小桥时看到一个年轻女孩,看样子不到 20 岁,她坐在桥边,专注地吹着一支笛子。那时天很黑,下着雨,吹着风,显得很有些凄冷。女孩没有遮蔽风雨的器物,只在头上戴着一顶帽子。她全神贯注地吹着,既不看过往的行人,也不在意肆虐的风雨,美丽的脸上看不到一丝忧怨。匆匆走过的我被她深深地打动,转回身在她脚下的盒子里轻轻放下了一枚硬币。晚饭后到离阿市 20 多公里外的地方住宿。途中经过一处像泰坦尼克号船形的建筑物,导游告知这是一名意大利设计师设计的,现在为海事学校和博物馆。另外下午在街上还看到荷兰皇宫、军事博物馆,均因天雨,无法拍照,印象也不深。车又经过一个机场,黑暗中看不到机场大小,但其灯光十分美丽,方圆几公里全是路灯,每隔五六米就有一盏,约有上万盏。那场景和气派在国内是无法得见的。最后到了住宿的酒店,此酒店条件不错。这几日在各酒店看到不少广告,纸张优良,印刷精美,有不少彩图,有的制作成一本书,都免费赠送,我十分喜爱,收集了不少,也算此行又一收获。

导游告知明日启程到德国。

11 月 17 日(周一)　德国:晴

晨 8 点后启程前往德国科隆。昨晚住的酒店名叫"金郁金香",GOLDEN TUYIP,酒店名为 HOTEUS(S 在此意指连锁)。该处有 28 公顷郁金香花。我们的住地离科隆 280 多公里,11 点左右到达。

古代日耳曼地区有 350 多个国家。德国之前为普鲁士,现在的德国为联邦共和国,35.6 万平方公里,8000 万人口。德国工业发达,但农业用地却占了 70%,其中 30% 为森林,沿途也确实看到不少森林。生产 1000 多种啤酒和香肠。科隆为德国第四大城市,400 多平方公里,100 多万人口。莱茵河流经该城,河上架有 7 座桥梁连结两岸。著名的产品有科隆男用香水、双立人刀具。科隆已有一千多年历史,最有名的建筑为科隆大教堂。此处很早前是一个小教堂,后因曾保护过耶稣的三位国王遗体运送于此,不少人都到这里朝拜,遂建成了科隆大教堂。其镇山之宝即三位国王的遗体,存在一个一千多年前的金棺里。

到科隆后便下车参观大教堂。教堂为哥特式建筑,十分壮观。高 157 米,宽 90 多米,比巴黎圣母院建得晚,但更高大。高耸入云的各个塔尖上有不少精美的雕塑。二战时曾被破坏,后来修复。一行人匆匆参观,进教堂看了里面全景,被玻璃窗上五彩缤纷的画像吸引,拍照两张。然后到莱茵河边的桥上、旁边的火车站及威廉一世的塑像前拍照。莱茵河比赛纳河显得宽大,不像以前在小说中读到的那样秀美,或许因时间紧,未及细细品味,对教堂、莱茵河、科隆城都只留下一个粗略印象。

另据导游介绍,欧洲的各大城市原来均无门牌,拿破仑年轻时到科隆找女朋友,因无门牌找错人家,被人痛打,遂下决心为欧洲编门牌。之后每到一处城市便为其编门牌,欧洲各城自此才有了现在的门牌。

中饭后前往德国另一城市法兰克福(FYANKFUYT)。法兰克福高大建筑极多,有的路边被挖烂,很像国内一些城市。该城二战期间被破坏,后重新修建,因而新旧建筑夹杂。到该市已下午4时后,欧洲下午4时天便渐渐暗下去,就像国内傍晚时分。导游带着我们急急赶去看歌德诞生地,此时天色已暗,导游指着一排房子中一个门前有几级半圆形台阶,旁边窗户上摆有数钵鲜花的房屋说那就是歌德诞生地。但这里关门闭户,与其他房子相比并无十分特别,只好在门前匆匆拍照两张。随后再往市证券交易厅、市政府大楼等地,然而这几处都只能看到夜景了。印象中这是几幢漂亮的大楼,墙上塑有各种雕塑,不十分明亮却很迷人的灯光更使其显得富丽堂皇。法兰克福是一个经济、金融集中的城市,街道上银行大楼耸立,商业也很繁华,各个建筑物上闪闪的、此明彼暗的霓虹灯似乎更增添了夜幕下这座异国城市的神秘。

今天参观的两个城市都无较深印象,只怪时间太紧。晚上所住酒店叫 LINDNER,四星级,条件很好。有桑拿、健身房等。住下后去转了一圈,看到了桑拿更衣室,却未找到健身房。

11 月 18 日(周二)　德国:雨

今天上午到海德堡(HEIDEBEYG),导游介绍这是一座美丽的小城,10 多万人口中就有四五万大学生,是德国有名的学生城。晨 8 点启程,9 点 30 分到达。路途不远,天下着雨,一路灰蒙蒙的,无甚景致。

美丽的海德堡小城

海德堡是一座小山城,地处莱茵河的支流内卡河两岸,城市建在山脚。两岸山不高,保留完好的各式建筑依山而建,形状、色彩各异,均为别墅式的小洋房,在烟雨朦胧中显得十分美丽。我们的车到时停在一座老桥边,也顾不得此时雨点密集,在雨雾中摄山、桥、屋照片一张。海德堡城中心的小山上有一座十六世纪时建设的古城堡,城堡原为国王之宫殿,现一部分被路易十四大军炸毁,一部分被雷电击坏,只剩下了能让人产生无数联想的断垣残壁。至今这座城市的市民夏天还经常用灯光布置城堡,使城市显得更加美丽和浪漫。这也使未遭受二战破坏的海德堡小城更增添了诗情画意,歌德便在这氤氲着诗一般气息的小城里坠入了情网。城堡所处地势不高,一行人冒雨上山参观了城堡遗址并拍照几张。下山后又在城中心转了一圈。该城建筑古朴、华丽,面积不大,街道很窄,街两边开着各色小商店经营旅游纪念品。主街道也仅能容一部轿车通过,我想在这样的街道上更应该行走着那步履缓缓、响着铃铛声且装饰漂亮的古老马车而不是这现代的轿车。导游又带我们参观海德堡大学,这所大学是开放式的,与城市融为一体。大学食堂也建成古堡式样,很有诗意。对这座美丽的小城留下了十分美好的印象,只是今天雨密风大,时间也紧,不能尽兴游览。

中饭后到奔驰车公司所在地斯图加特,该城约 50 万人口。下午 2 点后到达。车子拉着我们直奔奔驰车博物馆。博物馆外是厂房,不允许参观,而博物馆则供旅游者免费参观。进去后每人发一份说明书和一个解说机。这种解说机外形就像电视机的遥控板,上面有数字按键,有几大类语言(也包括汉语)的解说录音,需了解哪部车就对照该车编号按下相同数字和选择所需语言,同时把解说机放在耳边,此时就会听到关于这辆车的详细解说,很先进也很方便。据介绍,奔驰车的标志有两个意思:一是该车的最早创造人给朋友写信时为指明其地址,特画出此图,标志中间一点即奔驰车生产所在地;二是表示奔驰车在海、陆、空三方面都要实现机械化。博物馆内陈列有奔驰车公司从十八世纪开始生产的第一辆车到现在出品的最新款式的各种车辆。这些车辆色彩各异,但都漆得锃亮,做工也十分精细,表现出德国人一贯的认真和严谨。展出的车子十分漂亮,让从不关心车的我都开始爱车了,在各时代车前拍照留影并记下这些车的生产年代,以便回国后题在照片上。

　　参观完奔驰车博物馆后再到斯图加特城中。该城也是一座山城,也在内卡河两岸。该城二战中被炸,现多为新建的现代化建筑,只保存有极少量的古建筑,一看就是一个工业化城市。不过德国确实是一个十分注意绿化的国家,虽是工业城,城中绿化面积,包括树木、草地均不少。德国政府称德国人均绿地面积达到 70 平方米。从昨天和今天所到的几个城市看该国确实绿地很多,在城中拍照两张。晚上住离斯图加特 7 公里以外的一小镇中,离开斯城时沿不太陡的山路而上,此时可看到身后的斯城周围都是不很高的小山,山上建有房屋。在山上山下的一片灯光中斯图加特市显得很美。今晚住宿的酒店名为 SCHINDERBUCKEL,条件一般,房间很小。据介绍,德国酒店房间一般都很窄小,昨晚还不错,今晚确实看出这个特点,盥洗间也很窄小,据说是土地十分金贵之故。

11 月 19 日(周三)　德国:晴

　　晨 9 点出发,今天路程不远,故走得稍晚。先到离斯图加特不远的一个小城,导游介绍那是生产著名 BOSS 牌男装的基地。团内不少人想买服装,便顺道前往。到小城时 9 点 40 分,商场尚未开门,只有一家超市开始营业。到里面闲逛一阵,购点小礼品。待 BOSS 服装商场开门后,同行不少人急急购各种服装,都觉得买到了既是名牌又价格便宜的好衣服,颇为沾沾自喜。结果拿回宾馆后才发现这些衣服大都是中国制造,且价格也不便宜,当然这已是后话。我只是到商场里转了转,也不觉那些衣服特别好,因自己从不追慕名牌。

之后驱车赶往慕尼黑。途中下车在琳芬堡拍照两张。这是1824年该国一国王因其夫人为自己生子而为夫人建造的一处仿凡尔赛宫的建筑。宫殿的特点亦是整齐庄严,花园修剪也十分齐整。花园前有一泓湖水,湖中有白鹅、鸭子在游来游去,在今日娇好的阳光下更显出宫殿、花园、湖水、水禽的美丽和一派生命自由兴旺之景象。花园里还建有一些雕塑,但因冬天怕裂,都用一些材料像房子一样将其罩住,足见欧洲人爱护古迹之良苦用心。

下午近2时赶到慕尼黑。饭后到城中,参观了1972年奥运会比赛场地,现已辟为该城体育馆。旁有湖水、土丘,一片草地葱茏。据说该土丘系在二战废墟上所建。该处的湖水、草地很美,特别是湖中的天鹅、黑鸭,那么自由,那么悠闲,足见此处生态保护之成效。宝马车生产总部就在体育馆不远处,拍下以体育馆和总部大楼为背景的照片,特别拍下了一张以鹅、鸭、湖水为主体的风光照,想来一定很美。

慕尼黑虽为工业城市,但城中却不是一片工厂景象。该城在二战中被摧毁很多,战后又仿原建筑修复不少,使城市仍然保持了古老的欧洲建筑风貌。城中心还有建得很有特色的以萨塔、圣灵、圣母教堂,新老市政府大厦。这两座建筑很奇怪,老政府大楼反而新,新政府大楼反而旧。原来老政府大楼在二战中被毁,重新修建过,新政府大楼因在二战中幸存,是原物,故反而旧。这是一座与布鲁塞尔市政府大楼相似的教堂一样的哥特式建筑,高大宏伟而美丽。

政府楼下的房子为商场,门前广场建有一圣母玛丽亚柱。柱子下压有四个动物,象征着四种灾害——饥饿、战争、瘟疫、异教。此处为市中心,人车熙来攘往,十分热闹。之后又到希特勒鼓动二战时的英雄廊。这是一处有雕塑、像门廊一样的建筑,前有一片广场,旁边还有一教堂,其建筑都很有特色。

慕尼黑是德国第三大城市,为巴法利亚洲(德国共有十六个州)的首府,该城喝啤酒盛行。从1810年开始,因国王为其儿子结婚开庆典喝啤酒,从此每年的此时就像过节一样,慢慢形成了啤酒节。每年啤酒节,狂欢的人们要喝掉700万升啤酒、吃掉75万只鸡、25万头猪,还有牛肉若干。正因为此,今天的行程里就安排了喝啤酒。下午参观完城市后,导游带我们到该城一家有名的啤酒厂请我们喝啤酒。这家啤酒厂和店的名称都简称HB,十九世纪建厂,生产的啤酒久负盛名。啤酒店建在市中心,房屋、装修都古朴大方,灯具、衣钩及墙上装饰均为铁制,烧花精美,在不很强的光线照射下,让人不由得联想起过去的时光,并在心里慢慢产生出一股既有淡淡忧愁又甜滋滋的怀旧情绪。店内很大,可容五六百人同时喝酒。里面全是木制的长方桌、长条椅,一般一桌可对坐八人,大的长桌一面可坐十多人。客人坐下后,由服务生将酒用扎瓶盛来,每人再给一个大啤酒杯。到此喝酒的人至少都能喝一扎。一扎6.2C,也可买半扎。我们去时,店里坐了不少德国人正自在地喝酒,也不需下酒菜,顶多有一块面包圈。他们边喝酒边聊天,不论男女,不论老少,不管高低贵贱,也不管是否认识,大家自然搭讪,都为寻找一种气氛、一种快乐而来,气氛温馨而热烈。店里还有身着民族服装的姑娘提着篮子卖面包、香烟,其情景让我想起国内那些保留有传统风格、极具人情味的旧式茶馆。大家在这样的环境里感觉真是开心,大笑着喝酒、照相,还和邻桌的德国朋友合影,我也和几位十分友好的德国先生举杯合影。这里啤酒的味道真的好极了,我从未喝过这样好喝的啤酒,不过为了让那些好酒的男同胞多喝一点,我只喝了小半杯。

趁着大家喝酒的工夫,我仔细观察了整个酒店。然后又踱到酒店外看看四周的环境。这是一条背街,周围几乎都是啤酒店,但各自的店名、酒名都不同,其装修也不一样,有的显得更为现代和富丽。我特意到一家装修不同的店门边看了看里面。只见里面装潢漂亮,挂着不少像宫灯式的蜡烛灯,桌子也小一些,铺着桌布,桌子上也放有蜡烛,不少情侣相对而坐,喁喁低语,四目传情,店内光线更为柔和,传递出一种欧洲特有的高贵和浪漫。

晚饭后到慕尼黑郊外约七公里处住宿,酒店条件也不错。导游告知明天上午先到萨尔茨堡。这是奥地利的一个小城市,莫扎特的故乡,一个风景很美的地方。

11 月 20 日(周四)　奥地利:阴,雾大,偶晴

晨 8 点启程。由德国慕尼黑出发前往风景秀美的奥地利城市萨尔茨堡(SALZBURG)。萨市是奥地利第四大城市,有十四万多人口。导游介绍说该城亦是一座山城,城中有保存很好的十一世纪古堡、美国著名电影《音乐之声》的拍摄场景米拉贝勒花园。慕尼黑离萨尔茨堡一百多公里,沿途要经过阿尔卑斯山脉,途中能看到建有美丽宫殿的大湖,山上有漂亮的小木屋。但这只是耳闻,没有目

睹。因今晨雾很大,什么也无法看到,只偶尔拨开浓雾钻出的太阳照亮大地时方可看到公路两旁碧绿的草地。但此景只一会儿,之后又是大雾。10时后到达萨尔茨堡,先参观米拉贝勒花园。这是古时一个当权的主教给为他生了十五个小孩的情妇而建的法式宫廷和花园。建筑亦讲究对称,花园也修剪整齐,园内有不少雕塑,其中一个背着老人牵着小孩的年轻人雕塑给人印象较深。该园曾经被烧,后重新修复,看上去依然美丽。本来在花园内还可看到远山上的古堡,但因今日有雾,无法欣赏到。

　　之后到萨市中心。过桥、参观教堂、老街、莫扎特出生地等。莫扎特出生地也是一座旧式楼房,只能在外面看看,拍张照片。又到莫扎特塑像处拍照。塑像前为一人工滑冰场,不少奥地利小孩在此滑冰,大家争着与这些小孩拍照。又经过停放着一串马车的小街,感觉很有风味。之后上山,打算到古堡,因要收费参观,大家未再往山上,只在半山上俯瞰萨市,城内古建筑很多,很有特色,也很美。下山来,看到不少小商店已在准备过圣诞节,店内摆满各种圣诞小玩意,以红色为主,夹杂着其他颜色,十分鲜艳、喜庆。

　　萨市街中也有一条河,河两岸有山,与海德堡有些近似,只是比海德堡大。该城的街道很有特点,一排商店后面又是小街,要到后面去就要穿过商店与商店之间有屋顶的、布置漂亮的小巷。这些小街就像一条条巷子,两旁全是商店,店门上挂着各个店铺自有个性的各形各状招牌,看上去十分有味,又拍照两张。中饭后前往音乐之都——维也纳(WIENER)。

　　奥地利是一个有83000平方米土地、810万人口的国家。该国每平方米土地 97 人,有 17％的山地。阿尔卑斯山覆盖了全国 77％的土地,森林覆盖率为 41％。以前靠木材做纸浆出口,现为杜绝污染,不再加工纸浆,只卖木材,对污水处理也做得很好。首都维也纳 180 万人口,414 平方公里,是奥地利第一大城市,比巴黎中心区大。因维也纳距萨尔兹堡三百多公里,到达时已是下午 5 点多钟。欧洲国家冬天黑得很早,维也纳更早,下午 4 点多就黑了,到时只看到其夜景。街道上可看到很多十八、十九世纪的建筑,市政府、议院、自然美术博物馆、教堂等都十分美丽。特别是市政府也是像教堂似的哥特式建筑,与比利时首都布鲁塞尔市政府建筑很相似。因要过圣诞节了,政府前面的广场上亮着许多为节日而布置的灯火,五颜六色,在黑暗中闪烁着,很美。另外街上还能看到分离艺术、创新派建筑师所设计的建筑。在看了众多十八、十九世纪的欧式建筑后忽然看到这风格不一样的房屋,顿有耳目一新之感,此时更能体会艺术贵在创新之理。

到酒店,其名为 HOTEL BELLEVUE,也是一老式建筑,至少有一百多年历史。酒店很旧,电梯小得只能容纳两人,还是木制拉门。房间内条件也一般。但其门前有两根大理石柱子,二楼处塑有人像。虽老旧,却不乏派头。酒店就在大街上,无停车场,我们乘坐的大巴就停在门前的街上。因今天乘车太久,出去到附近转了转。天黑,不识字,也无法看清所到之处,街上人不多,显得有些冷清安静。回酒店后打开电视,听到了优美的交响乐,甚感愉悦。到欧洲以来,电视看不懂,有时找到音乐频道又都是流行音乐,只今晚听到了交响乐,顿生音乐之都确实名副其实之感。

11 月 21 日(周五)　奥地利:阴,全天雾气沉沉

上午游览维也纳。先到美泉宫。美泉宫是 1696 年奥匈帝国烈奥波特一世皇帝责成奥地利当时最有名的建筑师费·舍·埃尔拉赫设计建造的,后来玛丽亚·特蕾莎女皇改建为夏宫。依然是仿法国凡尔赛宫式建筑,呈对称形。欧洲宫殿与街上许多建筑很相近,只是要高大一些,装饰也更多更精美,尤以人物雕塑为最。美泉宫造型比其他一些宫殿显得简练。入宫参观,拿到一张有中文解说词的说明,得以详细了解所到宫殿的历史背景、有关人物与发生的故事等。这里曾发生过许多重大事件。奥匈帝国在位时间最长的国王弗兰茨·约瑟夫就在这里辞世。而约瑟夫的妻子就是有名的茜茜公主。沿参观路线而入,一路看到奥匈帝国皇帝、皇后的客厅、工作间、卧室、餐厅、盥洗间等。这里与在法国看到过的宫殿有些不同,室内并无许多雕塑,房顶上也没有很多装饰和油画,仅在节日大厅上看到油画,各个房间内有皇帝、皇后及亲属的肖像画。茜茜公主的画像也挂在她卧室的墙上。这些画在我看来均出自宫廷画家之手,人物近似,技法雷同,无太大艺术价值。节日大厅有一个仿凡尔赛宫镜廊,但面积要小一些。看到此殿,脑中不由浮起曾经在电影里看到的穿着华丽,高贵典雅的皇亲贵胄之青年男女们在宫殿中手拉手轻快地跳圆舞曲的场面。

奥匈帝国始建于 1276 年,共有八百余年历史。1918 年 11 月 11 日,奥地利共和国宣告成立,匈牙利也从此独立。美泉宫内住的就是奥匈帝国时期的各代皇帝、皇后。其中最著名的有女皇玛丽

亚·特蕾莎、茜茜公主等。拿破仑的奥地利妻子所生之子也住于此宫。拿破仑的第一个妻子约瑟芬年纪比拿破仑大,结婚时还带着两个小孩,结婚后未为拿破仑生子。后拿破仑又娶奥地利公主玛丽·路易莎为妻,生了一子。这个儿子在隔离中长大,一直住在美泉宫,非常寂寞,21岁时死于肺病。在美泉宫塑有他及他心爱的百灵鸟和鸟笼的塑像。但我们未能参观到此厅,后来才知道参观美泉宫有豪华套票和一般门票之分,大概是导游为省钱只给我们买了一般门票。出大门时拍下大门两边门柱上代表奥地利国的两只鹰。

维也纳市立公园内的约翰·施特劳斯塑像

接着又去参观了斯特劳斯塑像、茜茜公主塑像、议会大厅(其门前的广场上塑有高大而美丽的希腊神话中智慧女神雅典娜的塑像)、市政府广场(此时方看到昨晚经过此地时树上那些发出五颜六色灯光的挂件原来是一个个可爱的小熊)、国家剧院、冬季音乐厅

(KURSLON——音酷沙龙)、金厅(即新年音乐会音乐厅)、莫扎特塑像、歌德塑像、玛丽亚·特蕾莎广场及两旁的博物馆、英雄广场、司蒂芬教堂等。各个景点相距不远,导游带着我们匆匆地在这些地方转来转去,一路走来,无时无处不感受到欧洲古老文明的强烈气息。只是每到一处都只能在外匆匆地看个外景,急急地摄下照片,这是这类旅游不可避免的缺憾。世界著名的新年音乐会音乐厅是一幢外表装饰并不十分特别的建筑,里面富丽堂皇的金厅因 2004 年新年音乐会准备工作已经闭馆,无缘得见。印象较深的是英雄广场。这是一个面积很大的广场,有一大片草坪。草坪上塑有雕塑,广场的正前方是一座半圆形的廊形建筑,希特勒二战时打到此曾站在上面不可一世地讲过话。整个广场给人的印象是既大气磅礴又不失细腻和美丽。广场的左右两边有一些门洞,穿过门洞,又到了另外一些小的广场,也塑有雕塑,有各种古老而美丽的建筑。真是令人不由得从心底里佩服欧洲人对美的创造和对传统的保护。

维也纳是一座十分美丽的城市。各种十八、十九世纪建筑鳞次栉比,与巴黎建筑相似。但其楼上的窗外、阳台外少了铁花栏杆,房屋显得比巴黎的更高大,大都在七八层,颜色也不再单一。红、黄、绿均有,不过都较淡雅。公路也宽大一些,行人不多,街上行驶着新型、漂亮的有轨电车,这是市区内使用较多的一种交通工具,同时也形成了城市的一道风景线。离中心区稍远的地方,维也纳河像一条小溪沟从城内穿过,旁边建有铁路,与河流并行,两旁是护堤。火车有时在地面桥上经过,有时又穿入地下(巴黎地铁也是如此),国内城市里从未见到此景。下午 3 点半后离开维也纳。一路光线已暗,汽车穿越在阿尔卑斯山脉中,所行全是高速公路,只见两旁的山势平缓,其他已无法看见什么。晚上 7 点 30 分左右到达奥地利第六大城市克拉根福。此城很小,9 万人口。住宿条件比前都差,酒店名叫 ADOIF RABITSCH。克拉根福法语写为 KLGENFURT,该城在二战中多被炸,现为二战后重建。

11 月 22 日(周六) 意大利:晴转阴,晨有雾

晨 8 点出发,离开奥地利到意大利,先到水城威尼斯。主要行程在奥地利,穿越阿尔卑斯山。车开出不久太阳钻出了雾罩,照亮了阿尔卑斯山。只见沿途比昨日陡峭,山势愈渐高大,背阴一面的高山上能见到终年不化的积雪。向阳一面山上有树木,但不如昨日见到的草地葱绿。有的地方能见到裸露的山石。阿尔卑斯山给人的感觉很美,与重庆的山势不同,显得山头很大,也不像那样险峻,然而却雄伟。在车内隔着车窗仍忍不住摄下积雪累累、云雾缭绕的山头及公路两侧静谧的村庄。经过 40 多公里山路后渐进平原。只见山脚下渐渐出现了被水流冲出的平滩和小股的流水。水已很细,露出许多被水流冲刷过的河谷,使人想到这里从前曾经可能是一条大河,真是沧海桑田! 进入平原后沿途有不少村庄、植物、葡萄园。许多植物从未见过。特别是有一种树,树干笔直,整齐地成行种植。树干下端光秃秃的,所有树枝向上生长,到上部后长出金黄的叶片,一丛一丛的,很是美丽。意大利的葡萄园也很有特色,沿途一大片一大片,矮矮的,被人修剪整理成整齐的形状。村庄的房屋都盖了红瓦,加上各种植物,颜色有绿有黄有红有棕,整个给人色彩绚丽、

富饶丰足的印象。

11 时后到威尼斯。这里的威尼斯是广义的,由三个地区组成。吃饭之后乘车穿越一个连接陆地与威尼斯岛的高速公路桥,再乘船到水城威尼斯。上船后船上广播就开始介绍威尼斯水城情况,因其时不少海鸥正盘旋头顶,从未见过此情此景的我们忙着喂海鸥,与海鸥合影,又抢着摄下两岸建筑、海中轮船,故只断续听得片言只语。约略听得威尼斯系建在浅海滩上。大约四世纪时,亚洲的 HAN 族侵到欧洲,欧洲人逃到威尼斯,因为此地与陆地隔绝,便在此建城。盖房时先在水中打上木桩,上面铺上大理石石板,形成平面,再在上面盖房。这里有 118 个岛屿,由 170 条水道分开,400 多座大小不一、形式各异的桥梁将其连接。在大运河上有三座桥最漂亮,以亚里多桥为最。大威尼斯有 30 多万人,威尼斯岛有 7 万人。这里每年都要下沉,要防止海水上涨,又要防止地下水被抽干,而这两者对城市建筑都不利。威尼斯城现在已像一个衰老的妇人,但每天仍打扮得漂漂亮亮以吸引世界各地的游人。欧共体为保护威尼斯拨出了很多专款。但愿这凝聚着人类智慧、积淀着人类文明的美丽水城在人们的悉心呵护下能延年益寿。

威尼斯岛上最美的建筑为圣马可广场。这是威尼斯的市中心,也是威尼斯最热闹、最繁华的地方。拿破仑到此地时,曾称其为欧洲最美丽的客厅。广场上有圣马可教堂、威尼斯最高的钟楼、建筑恢弘精美的市政厅、灰色石砖铺就的古朴地面、栖留在广场上自由觅食的数不清的鸽子。另据介绍,广场在涨水时会被淹,游人只能站在高于广场两边商店门前的拱廊下,故广场周围还建了一圈涨水

时能供人站立于上的像木凳一样的东西。圣马可教堂始建于公元
829 年，重建于 1073 年。它综合了东西方建筑艺术特点，精美绝伦
而又气派无比。墙上的壁画全用马赛克相拼而成，其色彩经历近千
年仍经久不衰。教堂房顶上塑有各种人物塑像，一个个都栩栩如
生。旁边高 100 米的钟楼与教堂相得益彰，据说科学家伽利略曾在
钟楼上试用过天文望远镜。广场两旁的市政厅原系始建于公元
814 年的公爵宫，其按黄金分割比例设计的窗框、排列整齐的圆柱、
玲珑小巧的大理石拱廊虽历千年却仍保持着王室的富贵华丽及气
派。在广场上参观，与落在肩上、头上的鸽子合影，只觉应接不暇。
然后导游再带我们参观教堂，匆匆进出。只记得里面有圣马可(写
《马可福音》的作者)的银棺，有做忏悔的木头小屋，其他无太深印
象，总体感觉是内部也很美。

　　参观完圣马可广场，本欲去划船，乘坐一种两头翘起被称作"贡
多拉"的古式小木船。这种船必须 6 人同乘，每人收费 20C，我十分
想去，因早就听说不乘"贡多拉"就等于未到威尼斯。但同行者都不
响应，终未能遂愿，很觉遗憾。之后去参观玻璃加工厂。

　　又从刚来时的原路返回，再次经过了著名的叹息桥。这是威尼
斯众多小桥中的一座，但很有特色。因为它架在总督府与监狱之间
的小河上，是一座全封闭式的石桥。过去在总督府宣判后的犯人就
经由这座小桥押送到监狱，经过小桥的犯人总会长长地叹息一声，
小桥由此有了这令人伤感的名称。接着参观玻璃加工厂，实际上是
一间不大的私人玻璃作坊。一间 20 多平方米的房间里一个工人在
表演制作。正对门的右墙角有一个炉子，燃烧着熊熊的火焰，左边

墙上挂有不多的几种工具。工人师傅用工具将玻璃放到炉里加热到几千度,再拿出来用工具将其灵巧地拉、抻、扭,最后做成花瓶、小马等。成型时将其放到纸上,纸立刻燃烧。其马的制作有些像国内的吹糖人,加热的玻璃就像糖一样软而有韧性,在工人师傅手中工具的操作下,几下就变成一匹可爱的小马,感觉很是奇特。与师傅合影一张。接着另外一个老板模样的人将我们引到隔壁,介绍水晶,让大家购买首饰。

再由导游领着穿小巷看威尼斯城。岛上的陆地大都为一条条小巷,宽的能并列十来人,窄的只能并行三四人,以窄巷居多。巷的两旁鳞次栉比地排列着各种商店,多为卖工艺品、玻璃制品的,也有卖服装、鞋帽及其他的。各种商品五颜六色,在店内灯光的照耀下绚丽无比。尤其是卖面具的商店(特别多),各种面具千姿百态,奇形怪状,让人不忍卒离。威尼斯岛上虽无车马之喧,却充满了商业之哗,使人深感威尼斯人的善于经商。难怪莎翁笔下会有不朽的《威尼斯商人》传世。几条小巷转过,便出现小桥、流水。流水其实与小巷平行,幽深曲折,各式各样的小桥架于其上。我们在一座大理石独孔拱桥边停留较长。这座桥造型优美,桥上高敞的拱廊里开设着商店,这里的河面也宽敞了许多。水城的面貌就在这些小巷、小桥、流水中尽现。岛上的建筑也很具欧洲建筑风格,但其房屋窗框的形状变化更多。有的为哥特式建筑的尖顶穹形,有的为长方形,有的为半圆形。房屋很多均已老旧,有的由于下面的木桩腐坏,已开始倾斜。屋高三四层至五六层不等,最底层都不能住人。房屋的色彩也很丰富,总体感觉都很美。同行中有人说不如我国周庄,我却认为各有风格。周庄小巧秀美,是小镇风格,威尼斯大气富丽,是城市风格。就像小家碧玉与大家闺秀,各有千秋。

下午5点30分乘船离开威尼斯岛。离岛前还有一些自由活动时间,进海边的一个教堂坐了一会儿。里面安静肃穆,几个信徒在虔诚地做祷告,那种气氛让人不经意地生出一种感动。晚饭后进住AEBENGO GTALIA酒店。酒店在离威尼斯(陆地)几公里外的一个小镇上。酒店外环境很美,门前一个花台,花台外便是街道,对面有一座小教堂。欧洲各地都有不少教堂,足见宗教在欧洲人心中的重要位置。酒店不大,进门只有一个小柜台,但店内的摆设却显出主人的良苦用心。面积虽小,却尽量在楼梯的转角处和过道的空处摆上花瓶,插上花,墙壁上都挂有好看的画。房间内的家具就像家里的摆设一样,古色古香,精美而高雅,使人倍感温馨,不由让人对老板的文化和艺术品位心生佩服。这么一个小酒店尚且如此,不难看出其国人素质的基本水准,我们与人家相比确有较大差距。

11月23日(周日) 意大利:晴

晚8时后到住宿地,住在与比萨毗邻的LUCCA市里一个名叫CRANDUCA的酒店。

晨8点30出发,车开出时看到昨晚所住的小镇整洁漂亮,街上房屋一小栋连着一小栋,每栋均有花园。镇虽小,环境却很优美。离开小镇后向佛罗伦萨开进。途中穿越亚平宁山脉。此山比阿尔卑斯山峰峦略小,在意大利境内呈南北走向,阿尔卑斯山则是东西走向。形成意大利山脉多、平原少的地形地貌。山里景色很美,各种植物色彩斑斓,村庄里红色的屋顶在山中时隐时现。不时有浓雾环绕山脉,使山中景色更增迷人魅力。佛罗伦萨城的周围都是山,其母亲河 AYLO(亚罗)河穿过城中流向城外,此时看到远山起伏,河水在阳光下静静地流淌,风景很美。

佛罗伦萨城中似在举行体育赛事,很多路口都拦住不让进。司机和导游原打算先到比萨,后因路不熟,又绕道回佛市。此时已是下午 1 时左右。佛罗伦萨为保护古迹,不允许旅游客车进入市区,游客只能在城外下车,步行进城。下车后便急急赶路。沿途看到城里正在举行长跑比赛,通向城里的公路边都拉着绳子,绳子外站着观看、加油的人们。参赛的男女老少穿得很少,跑步的速度也不快。公路上已兴冲冲地走着一些下穿短裤、上穿印有广告的塑料马甲、脖子上挂着奖牌的结束比赛的人,看上去很有些滑稽。有些人已换下了运动装,而有的男女正在街边的大客车内换衣。有的老年男子甚至就站在当街换衣,下身围了一条毛巾,上身赤裸,而其中一人竟全裸着,只稍侧着身体,完全没有顾忌。街上行人也全无好奇,还有一些人随意地躺在街边休息,欧洲人的自由由此可见一斑。进城的一路上不断看到尚未跑完的人们还在不停地跑着,两旁加油的人群也还在拍手鼓励着参赛的人们,相互间友爱、激励的情形很令人感动。今天有幸看到欧洲人普通生活场景的一个侧面,很觉高兴。

下午两点赶到饭店,吃完饭便赶去参观。先看佛罗伦萨最著名的圣母花大教堂。该教堂建于十七世纪,建筑十分精美,全部采用意大利大理石建成。各色大理石镶拼出墙上的种种图案,并雕刻有细腻、复杂和整齐的花纹。铁铸的大门上面也刻有各种花纹和人物,顶上的圆堡标志着建筑艺术的长足进步。教堂旁是一座大钟楼,每隔一刻钟便敲响一次,届时几口钟齐鸣,嘹亮的钟声在广场周围回绕,别有一番韵味。教堂的右侧是洗礼堂,其中两扇门的雕刻精美绝伦,米开朗琪罗称其为天堂之门。门为铜铸,面上镀金,看上去富丽堂皇(导游介绍此为复制品,真品已收藏)。大家匆匆在此照相后便忙着转开,不好一人独行,只匆匆看过,便随大流而去。但自己实是不甘,后来还是一个人又转回来进行了粗略观赏。只见这两扇门上共刻了十幅画,一幅画一个《圣经》故事。既有深浮雕,也有浅浮雕。每幅画都刻有几十个人,人物分为几层,均用深浮雕雕出,立体而细致,栩栩如生。人物后面还有浅浮雕雕成的房屋、宫殿、树木、山石作背景,看上去前后远近分明,十分生动逼真。在这伟大的艺术品面前让人不由产生一种想对文艺复兴时期的艺术家们顶礼

佛罗伦萨市政广场上的海神雕塑

膜拜的冲动。

匆匆观过、摄过圣母花教堂,接着又穿过几条街道便来到了市政广场。这里有现在的市政大厅,而原来是佛罗伦萨市梅蒂茜家族(该家族原为平民,后靠联姻逐渐成为贵族、教皇和国王)的宫殿,故也称为老宫的建筑。此宫始建与 1295 年,内有空间高 8 米的 500 年大厅,据说里面布满各种绘画。老宫确实已经很老了,从外面几乎看不出它有什么特别。且这里尚在维修,人也很多,乱哄哄的,看上去很不理想。但这里的雕塑却十分抢眼。米开朗琪罗的著名雕塑美男子大卫 1∶1 的复制品立在老宫门前,旁边还有一个与其一般大小的希腊神话人物雕塑。大卫有六七米高吧,那么有力、健美,急着从两个角度与他拍照。同行的两位浙江女同志见我跟一个裸体男子合影,很有些不理解,我只好解释我学过美术。据介绍,大卫的真品藏于博物馆,在意大利另一城市还有一铜塑的大卫。广场中间有与大卫一般高的海神雕塑喷泉,海神的生殖器不断喷出水来,我又拍照一张。老宫右面、广场的正面有一座门廊——麒麟廊(音译)。麒麟廊内分三层并列着 11 座雕塑,前面两排每排塑 3 个人物,后面一排 6 人,其中最前面一个黑色的人为脚踏妖怪的博尔修斯。因没时间细看,只留下雕塑很美的印象。老宫毗连着佛罗伦萨著名的博物馆。这里原为老宫的办公处所,两边精美的建筑形成一个长廊。廊内塑有世界有名的文学家、艺术家等。导游告诉我们谁是米开朗琪罗、谁是发现美洲大陆的哥伦布,虔诚地与学美术时就十分崇拜的米开朗琪罗合影一张。穿过长廊眼界立刻开阔起来,穿城而过的亚罗河出现在眼前,河上架着原王室人员自 PITI 宫(原

与意大利警察合影

王室人员的寝宫)到老宫上班的必经之路——佛罗伦萨市著名的老桥。此桥已有几百年历史,虽很老旧,却难掩其传奇。这是一座拱形桥,桥上建有廊房,现全辟为商店,以各种金银首饰店居多。这里盛产意大利有名的三色金制品,用其做成的首饰十分精美也十分诱人。老桥上有一个正在巡逻的全副武装的年轻警察,我用夹生的英语告诉他我也是警察,请他与我合影,他欣然应允,并夸我 Beautiful。

　　佛罗伦萨是文艺复兴时期的著名城市,德文写作 FIRENZE,英文写作 FLRENZE,朱自清则别出心裁地将其译为"翡冷翠"。从十四世纪开始,佛罗伦萨成为欧洲最大的工商业与金融中心。文艺复兴的曙光也首先从这里升起。从那时起,这里的绘画、雕塑、建筑发生了很大变化,内容从原来的只有神话、《圣经》人物发展到关心世态人生,增加了世间人物,形式也从古拙、粗放、不讲比例发展到细致精美,符合比例,并有透视(如建于十二世纪的巴黎圣母院、圣马可教堂等)、有远近,对欧洲建筑及艺术的发展产生了划时代的影响。这里培育出米开朗琪罗、达·芬奇、但丁等世界伟大的艺术家、文学家,自但丁的《神曲》写出并传播开后,佛罗伦萨语言成为意大利全国通行的语言。这里堪称文艺复兴时期传统和艺术的宝库。我对佛罗伦萨神往已久,没想到今生还有幸能来到这里。本欲细细参观,但自己只有条件参与的这种组团旅游方式却不能尽遂人愿。不懂外语,语言不通,一切只能随大流。收藏有大量文艺复兴时期各种雕塑、绘画作品的博物馆自己十分想去看,却无人响应,担心不识路,又听说佛罗伦萨治安不好,更不敢擅自行动,只好兀自叹息与世界顶级美术品的无缘。

　　对佛罗伦萨这么向往,但城市给我的印象却十分老旧。即便最著名的建筑、雕塑也显得很脏,没有清洗。各条街上的房屋新老参差不齐,最老的建于十四、十五世纪。这类建筑雄伟、粗犷,窗户小而少,像古时的城堡。整个外表显得十分陈旧,就像正在苟延残喘的老人。有的虽予以整修,但也就像一个老人在旧装外面又套上新装,虽欲掩饰自己的日渐衰老,但力不从心,仍让人看出裹在新衣内的病体。与巴黎相比,其建筑风格虽大同小异,但从一条街整体看去,远不如巴黎整齐,房屋也不那么受人宠爱和给以精心保护。印象最深的是每座房的玻璃窗外都安上了百叶窗,有的开启,有的关闭,不像巴黎的窗户、阳台都有铁花栏杆,既干净又整齐地关闭着。这里在几个广场旁形成几条街道,街道很窄,街两边全是商店。街内只有很少公交巴士,但有小汽车。游人很多,显得杂乱无序。广场上有很多艺人,有的在地上画铅笔人物画,有的用油漆、塑板材料画风景画,还有的人在演奏音乐。围观的人对他们的艺术都礼貌地给以掌声,并投之以小币。还有不少称为行为艺术的人化装成各类人物在街头一动不动地站着,地上放着要钱的盘子,此情此景不仅使人为艺术的没落感到悲哀。而这里的商人们将大卫的生殖器、天使的乳房部分分割下来印在内衣、内裤及围裙上更让人感到商人们对艺术的亵渎。米开朗琪罗如活着,该作何感想?这就是今日之风气,横流的物欲令世界如此,中国如此!另外在街上还看到有卖蒲草编制小动物的中国人,但他们兜售的小动物似乎无人问津。也不知这些文化不高、只会一点小手艺的同胞在此何以立足?

今晚所住酒店为四星级,却比昨晚小镇上的三星级差远了。家具、环境均不如昨漂亮,条件也很不好。明日要早起看比萨,还要赶到罗马,赶快搁笔。

11 月 24 日(周一)　意大利:上午晴,下午大雨

7:30 分便从 LUCCA 出发,急急赶往比萨去看斜塔。比萨离 LUCCA 很近,十多分钟便到了。斜塔在城里一围有城墙的教堂广

场内,外围的城墙用粗糙的石块建成,看得出早期的建筑风格。斜塔为教堂建筑群的一座钟楼,通体用大理石建成。塔为圆筒形,直径约 16 米,共 8 层。2—7 层为空廊,第 8 层为钟亭。内有螺旋状楼梯 294 级,我们急着赶往罗马,未上塔,只在外面拍照几张。斜塔建于 1174 年,重 1.4 万吨,造型古朴秀巧,为罗马式建筑的范本。该塔建完第三层时,发现基础沉陷不均匀,即将下陷一边的层高加大以之补救,但沉陷更甚,故被迫停工一个世纪之久,最后还是在倾斜状态下完工。现在塔的倾斜角度已达 5.3 度。从外表看,比萨斜塔已岌岌可危,我们都站在斜塔外做力推斜塔不让倒下状拍照。然而实际上至今斜塔仍巍然屹立,雄风依旧。与斜塔共建的还有一个教堂、一个洗礼堂。建于十一世纪,比斜塔年代稍晚,其建筑风格影响意大利及欧洲很多城市。

8：30 左右便从 PICA(比萨)出发赶往 LOMA(罗马)。途中又经过亚平宁山脉。坐在车里看到天边群山此起彼伏,层层叠叠。此时天空堆积着厚重的乌云,浅灰、深灰及云层薄处露出的鱼肚白与群山映衬,像极中国的水墨山水,令人顿感中国画的强大生命力。意大利的山与家乡重庆的山差异很大,山势连绵起伏,但坡度很缓,这里的人们喜在一座座山冈上筑起自己的家园。车行途中,不时会看到一片片红瓦黄墙的村庄簇立在山顶上,有的旁边还可看到远古时人们用粗石磊起的房屋或遗留断垣残壁,与新房互为衬托,既给人美感又令人遐想……临近罗马时太阳冲破了云层,强烈的阳光直射大地,照得车内的我都睁不开双眼。从法国出来越走越冷,没想到罗马却这么温暖。但当汽车进入罗马时,天空忽又阴沉起来,不时落下雨滴，真是说变就变。坐在车上，看着为我们开车的司机马可，想到只剩下最后几天了，一定找机会与他合张影。马可原是意大利国家足球队队员，退役后当了 bus 司机。为我们开车 20 余天，大家都熟悉起来。他也会说几句简单的中国话，驾车技术很好，还帮我们提放行李，我觉得他很友好。他是意大利人，30 来岁，高高的个子，长得很英俊。在临近罗马的加油站下车加油时，我提出与他合影，他很高兴，站在我们乘坐的 BUS 旁搂着我的肩合影一张。

中饭后赶往古罗马斗兽场。因天已十分阴沉，担心不好照相，大家走得很急。路上已下起雨来，好在大家都带有雨伞。到斗兽场时在外围拍几张全景，又将旁边的君士坦丁凯旋门拍照一张，导游介绍这是各国凯旋门的始祖，其后欧洲各国的凯旋门都仿它而建。雨中无法细看，大约一与巴黎凯旋门近似的门而已。

然后凭票进入斗兽场。斗兽场亦名高乐赛，即高大的意思。真实名称叫做佛拉维欧圆形剧场。建于公元 72 年，距今已 1930 多年。据记载，剧场开幕庆祝活动共持续表演了一百天，杀死了九千头猛兽。导游介绍这是当时的国王为招揽人心而建的一座古代建筑杰作，在历史的行进中，逐渐残败。斗兽场呈椭圆形，长直径 187 米，短直径 155 米。可容纳数万人，分三层看台，全场有 80 个门洞供人进出。中间的斗兽场下面全部挖空，修建成关野兽的门洞，野兽用升降机调出。门洞上面铺上木板，便可人与兽斗，兽与人斗。它是现代各国运动场的始祖。一千多年过去了，世界各国运动场的修建仍基本依其为模式，变化不大，足见古罗马人的智慧。斗兽场气势雄伟，场面壮观，有一面已坍塌，外面墙顶上原来的雕塑也已破败无物,许多地方几乎可说是一片废墟。然而当我身临此地,登上二楼,看着这虽残败但仍宏伟的建筑时,对人类祖先智慧的深深崇敬之情油然而生,同时仿佛还能感受到当初那原始、热烈而又血腥的斗兽场面。斗兽场对面还有一片断垣残壁,据说是古罗马的寺庙、商场,也很有特色。虽然此时已是黑云压顶,但我仍站在二楼上在风雨中拍照两张。

出得斗兽场,雨开始下大。导游带着我们匆匆赶往祖国纪念坛(也叫厄马努埃尔二世纪念堂),没走几步就变成了滂沱大雨。然沿途全无避身之所,虽有雨伞,已没有太大作用,除头以外,每个人的衣服、裤子、鞋子都被大雨浇湿,我的皮鞋更是内外湿透,所幸路程不是很长。赶到纪念坛,看到恢弘壮美的建筑,也顾不得其他,急急地在昏暗与大雨中抢拍照片一张,然后进纪念堂参观。纪念堂内面积不是很大,从右到左,基本上形成一座长廊式的展厅。建筑气派精美,厅内存列着从古到今为意大利作出贡献的伟人、英雄、名人的塑像、图片、实物等,供人免费参观,进行爱国主义教育。我们不识意文,就像文盲,又因衣裤太湿,感觉不舒服,顾不得细看,只在其中穿越一通。最后还在一个小放映厅看了几分钟录像,大抵是反映二战时的内容,也因语言不通,几乎没什么印象。不过对意大利政府这种免费进行爱国主义教育的方式很是赞赏,只是不明白我国政府为什么不能在这些方面借鉴人家的经验,现在我们不是逐渐富起来了么?从纪念堂出来,导游又将我们带到不远处一个广场,让大家躲进一个门洞,指着对面的建筑介绍这是威尼斯广场的威尼斯宫,并告诉大家墨索里尼曾在此发表过演讲。不过此时大雨已弄得大家十分狼狈,无心再参观,直催着导游边躲雨边行进,快点到饭馆吃饭后赶回酒店换衣服。导游告知明天参观梵蒂冈城,到时一定看仔细一点。在返回停车场途中,看到仙女喷泉广场,周围的建筑均建于十八世纪末,高大雄伟,很有气势。在罗马,这样的建筑很多,但其他房屋、街道却显得脏、乱、差,很像国内一些城市。

晚宿酒店不知其名,不过条件不错。

11 月 25 日(周二)　意大利:晴

今天继续游罗马。晨 8:30 离开酒店,巴士将我们拉到离梵蒂冈不远处,然后步行到梵蒂冈国。梵蒂冈是城中国,建在罗马城西北角,面积仅 0.44 平方公里,是世界面积最小的国家。持有该国护照的人口约 1000 人,这些人一部分住在梵国内,一部分人住在外面。据说这个国家的人十分富有。报子、钞票、收音机、火车站、飞机场等一应俱有。国内有护卫军,外面则依靠意大利武装。这里从1377 年成为教皇的驻在地,至今已有 6 个世纪之久。1929 年 2 月11 起宣布为独立国家,名叫梵蒂冈城(Citta del Vaticano)。国界以梵蒂冈城墙为标志。其城墙用红砖石砌成,这种砖比我国的红砖石长而薄,罗马很多古建筑都用这种砖建成。城墙上每相隔几米远塑有各种白色的雕像。梵蒂冈是世界天主教中心,每任教皇由该国西斯汀教堂内的红衣主教选出。其时若西斯汀教堂顶上冒黑烟则教皇未选出,冒白烟则选出。至今已有 265 任教皇。到梵蒂冈国实际上只能参观圣彼得大教堂和外面的广场,从教堂旁边可以直接进入国内,但有卫兵守卫,游人不允许进入。据说这些卫兵只能选用瑞士血统的人,因为他们最忠诚。卫兵们的服装由米开朗琪罗设计,式样古老,色彩鲜艳,自中世纪至今一直未变。

走到梵蒂冈城墙边圣彼得大教堂正面,这里用绳子将广场与罗马隔开。站在绳外很远处即能看到大教堂高大宏伟的建筑和圆顶,数不清的人物雕塑在广场、屋顶比比皆是。从绳子边进去便进入了梵蒂冈界,到了圣彼得广场。广场宽 240 米,长 340 米,是罗马最大的广场。其两边的罗马大圆柱围成两个巨大的半圆形回廊,给广场平添气派和威严。这是贝尔尼尼的杰作。回廊上装饰的 140 尊雕像全由贝尔尼尼的弟子们雕刻。广场中央竖着高 25 米十分美丽的方尖碑,左右有两座喷泉。今日天气很好,参观的游人也很多,我们进得绳子里面,还得排队进入圣彼得大教堂。先在教堂外边的回廊内、广场上的人物雕塑旁忙着拍照,匆匆浏览。并在圣彼得广场两个固定的点上站立,此时可看到两边半圆形长廊的四排柱子变成了一排。然后排队进到教堂内。先进入大殿前廊,前廊上开有 5 扇大门与大殿内的 5 条殿廊相接。从左至右这 5 扇门依次为"死亡之门"、铜门、圣门及"善恶之门"、"圣事门"。据介绍,圣门 25 年才开一次。每 25 年的圣诞节前夕,教皇按照特殊礼节,在隆重游行队伍的伴同下来到圣门前,跪地三次,并用金锤敲门三次之后,工人敲凿开启门墙,教皇率先进入。圣年结束时,此门再以隆重典礼予以封闭。在圣门前匆匆拍照,然后进入教堂。这是世界最长的教堂,全长 186 米,中央殿廊高 46 米。整个教堂显得巍峨壮丽。正中有由贝尔尼尼设计、世界最大、精美绝伦的铜铸华盖。华盖以四根铰链型柱子支撑着,下面是教皇专用祭台,祭台前日夜点燃着 95 盏灯。

华盖正对着由米开朗琪罗设计的圣彼得大教堂的壮丽圆顶。圆顶上画着美丽的壁画。所有壁画全用指甲大小的材料镶嵌而成。教堂中间没有像其他教堂那样摆放长坐椅,显得宽敞,供游人参观。但在四周布放有做礼拜的坐椅,自然地形成一个个礼拜堂,似乎是许多大教堂组合成这个巨大的建筑。其中一处有一位神父正领着信徒们做祈祷。另外还有供人忏悔的单体跪拜小木屋,不很大,可以移动。

教堂内有很多精美绝伦的雕塑。右殿廊第一间小堂的祭台上供有米开朗琪罗 24 岁时的代表作"哀伤圣母"。透过玻璃和灯光,可以看到在青春永驻的圣母膝盖上躺着宛如在沉睡中的基督尸体。一股悲伤的情绪裹住她那美丽的身躯。她的衣襟带上刻有年轻艺术家的名字,急拍照一张。在另外一座壁龛内看到了卡尼尼雕刻的著名海神像。导游又带着我们到圣彼得铜像前,让我们亲手触摸一下他那因被世世代代朝圣者亲吻而磨损的双脚。之后我们又到了教堂的地下层,这里摆放着许多教皇的石棺,不少石棺上还刻有睡卧的教皇塑像。这里也建有供人祈祷的小型礼拜堂,因参观粗略,只得在各处多拍一些照片留作纪念。

从圣彼得大教堂出来,又回到了罗马地界。导游带着我们走了一小段路,就来到了建于公元 134 年的圣天使堡和天使桥。天使堡古代是亚德里亚诺皇帝的陵墓,天使桥是皇帝为通往陵墓而建。当时除了斗兽场外,这里是罗马最壮观的建筑物。大约在公元十世纪改建成了城堡。1277 年被教皇占领后把它当作接待贵宾的场所,同时也充当监狱和实施酷刑的场所。据说公元十二世纪,根据一个与天使有关的传说在这里修建了一所敬礼天使的小教堂,后来又添加了一尊天使雕像,以后便称作圣天使古堡。因时间太紧,未到堡上参观,只在天使桥上多待了一会儿。从这里可看到天使堡是一座圆堡式的建筑,共五层。顶上有一座总领天使铜像。圆堡的下面围有城墙,城墙的四角建有四个圆坛。天使桥是架在台伯河上一座十分美丽的石桥,大理石栏杆上置有 12 座贝尔尼尼及弟子们所雕的天使石像。在这座桥上能看到不远处另有一座漂亮的小桥,均拍照。然后到了纳沃娜广场。广场坐落在古多米齐亚诺竞技场的旧址上,能容纳三万观众。场内有三座美丽的喷泉。前后两座分别是黑人喷泉和海神喷泉,外形较为相似,但塑像不同。中间一座是贝尔尼尼的四条河喷泉。他把喷泉设计成古代方尖碑的基座,以象征多瑙河、恒河、尼罗河和拉普拉塔河的雕像在四周作装饰,显得大气磅礴。广场上还有一座十分美观的圣依涅斯教堂。据介绍,这是一座典型的巴洛克式建筑,在它的地下室还可看到旧教堂和多米齐亚诺竞技场的遗址。我们只在广场上看了看,未进去参观。

　　导游又带着我们不断穿街越巷,之后到了万神殿。这是罗马古建筑中唯一保存完善的一座。建于公元 125 年。典型的古希腊和古罗马建筑的结合。殿前有一个不大的广场,广场正中有一座希腊方尖碑围成的喷泉。万神殿系一圆形大厅,从外面可看到前廊上并列着十六根高 25 米、用完整花岗石凿成的大石柱。石柱撑起上面希腊风格的三角墙。这么高大完整的石头也不知先人们是怎样把她矗立在这古老的大殿前的,实在令人叹为观止。据说前廊上的天花板,以前用重 45 万斤的铜板遮盖,后来这些铜板由教皇八世命人取下交给贝尔尼尼,用来熔制成圣彼得大殿内教皇祭台的铜制华盖及其他作品。三角墙后面是一个罗马式大圆堡。圆堡内部直径长43.40米,高度与之相等。由于修建时间早,采取在圆堡中间留一个圆洞的方式采光。进到殿内,光线从圆洞内射进,虽然不似后来有了玻璃窗户的宫殿那样明亮,但整个大厅内的光线仍然不错,真佩服人类祖先的智慧。万神殿内有罗马历代帝王和许多作家、艺术家的陵墓,重点看了大画家拉斐尔的大理石棺墓。墓上刻有一行碑文:"此处埋葬的是那一位拉斐尔。当他活着的时候,生怕万物之母——大自然——胜过于他;但当他将死的时候,又怕自己即将死去。"(录于画册)。因时间紧,其余粗枝大叶地转了一圈并留影后便离开了。

中饭后又到了罗马最著名的特莱维喷泉。传说有几个大兵因口渴想喝水,问到一位少女,少女把这清澈的泉水指给了他们,故又名少女喷泉。这是八世纪时的作品,建筑风格别具一格。不像其他喷泉那样在一个圆形的水池中间建雕塑,而是依据一座白色大理石大厦的正面,放置一大堆岩石,在其间完成无数雕像和浮雕,雕塑前面围起一个半圆形的水池而形成喷泉。参观者围在水池边或观赏、或拍照、或休息,显得很有些拥挤,拍照只能插空。我们在这里停留了较长时间,在周围的几条街上转了转,看到了罗马众议院和参议院。再到了西班牙广场。首先映入眼帘的是一坡宏伟的石阶。其顶端是漂亮的圣三山教堂,教堂前竖立着方尖碑。在西班牙广场中间、大石阶的脚下有贝尔尼尼父亲雕刻的破船喷泉。这里和少女喷泉都因为电影《罗马假日》而更加闻名于世。西班牙广场基本上在商业中心。这时是自由参观时间。听说前面还有人民广场,便急急穿过商业街,很快来到了人民广场。这个广场比先前看到的面积都大,建筑雄伟,完全对称。广场正中矗立着由埃及运来的罗马城第二大尖顶方碑,碑座下方雕有四个狮身人面坐兽。由去的方向看去,广场的右边有一对美丽的孪生教堂,左边是人民门,前后两方均塑有群雕。正前方的雕塑建在一座小山坡前,是一座像宫殿式的建筑。沿山坡的山路而上便到了一个小高地。这里绿树环绕,风景不错,游人也不多,显得比山脚下静谧。站在山坡上,可俯瞰罗马市中心,能看到各个著名的建筑,别有一番意味。今天在外不断行走,只吃饭时方稍事休息。虽然累,但天气很好,阳光明媚,自由支配的时间也较多,得以参观不少景点,感觉十分愉悦。罗马确实是广场多、雕塑多、喷泉多、古迹多。这些广场、雕塑都出自世界著名艺术巨匠之手,以前只在各种画册上见到,今日有缘亲眼目睹其风采,虽是走马观花,所记也是只鳞半爪,但依然感到心满意足。

罗马确为一座古城。街道狭窄,路面全用小块小块的碎石铺成。由于街道窄,很多类似小巷的道内也行走着轿车、摩托车。罗马无大商场,各条街上有很多小商铺,布置得也很漂亮,里面的商品价格都很贵,不敢问津。这里城市古旧,游人很多。因其景点太多,已无暇顾及细看街中建筑。印象是房屋较高,形成许多窄巷,其参议院、众议院都在小巷中,并有卫兵把守。卫兵的服饰很有特点,头上戴着插有红缨的高帽。在小巷的这一边隔着距离与卫兵合影一张,以便日后细细回味。

晚饭后回酒店收拾行李,明日上午再游罗马半天,下午乘机回国。

11月26日（周三）　意大利：雨转晴

9:00后乘车外出游览。

昨日对所行路线方位全然不知，今天才知罗马政府为保护古迹，在古罗马城外重新拓展，建起了新罗马城。我们昨天全部在古罗马参观，而所住的酒店则在古罗马的南边，靠近新城。今日车经过新城区，发现新城区与老城区迥异。这里有新建的笔直的大道，大道旁有一些著名的新式建筑。但新城区更多的则是与我国现在正大肆修建的火柴盒似楼房类似的房屋。如不是一些高大雄伟的仿古建筑矗立其中，乍一看就像在亚洲某地或就在我国国内。那些仿古建筑倒不乏特色。其中的文明与劳动大厦，长方形，房屋四周有216个圆拱，很像古斗兽场的圆拱门，故又称其为"方形斗兽场"。还有其他一些我没有弄清的建筑，形状也很有特点。穿过新城区，大巴到了火车站停车场，我们又下车步行进老城参观。这时原本飘着小雨的天空又下起黄豆大的雨滴，我们只得一会儿避雨，一会儿前行。

今天导游十分大方，让我们自由行动，11:50到饭店集中。我决定到前日未得细看的祖国纪念坛、图拉真市场、威尼斯广场等地再仔细游览拍照。车上便问得导游所行路线，下车后撑着伞前行。祖国纪念坛旁边就是古图拉真市场，有著名的图拉真圆柱、市场的断垣残壁等，我心中十分向往。这几处离我们下车的地方均不太远，导游带我们到其主道上，其间又经过前日路过的仙女喷泉。今日细看到喷泉后正面对大街的一面有一座古代教堂，后来得知这里本是迪奥克来济亚诺古浴场的一个大厅，由米开朗琪罗从 1563 年到 1564 年将其改为教堂，命名为圣天使玛丽亚教堂。教堂后面有一片遗迹，经过时猜测这里肯定是一处古迹，我很想进去细看，因不敢掉队，只得匆匆拍照而过。仙女喷泉周围有一片半圆形环廊式建筑，高大漂亮，大约是十八世纪的建筑，现为商场。

罗马的祖国纪念坛

穿过喷泉，径直前行一段路再下一段石梯便到了祖国纪念坛。纪念坛建在一座小山丘上，用白色大理石建成，十分高大（据我后来买到的罗马画册介绍，因其体积庞大，混乱了山丘与周围古老建筑物的比例）。建筑正中有义王骑马铜像，由威尼斯雕塑家工作 20 年之久方完成。建筑顶端的左右各有长翼胜利神驾驭着两辆因年久颜色已变黑的铜质驷马,在白色的大理石座上尤为突出。建筑物前面是一坡宏伟的石阶,更衬出纪念坛的雄伟高大。纪念坛旁边是图拉真圆柱广场,广场一片废墟,从其侧面看过去,有很多残垣,估计里面有不少可参观之处,但时间很紧,雨又下得很大,没办法再绕过去,只好作罢。祖国纪念坛正面便是威尼斯广场。因威尼斯宫而得名。威尼斯宫是文艺复兴时期的建筑,较周围其他建筑更显得古朴简练,是中世纪堡垒式住所演变到现代化楼房的过渡建筑,带有防御色彩。这里为古城市中心,可看到几条较宽的街道,平时很热闹繁华,今日下雨,人不太多。

几处看过,已是 11:30。原导游介绍往祭坛后再走几十米便可到罗马市政厅、总统府,且后面风景也很美。但今晨一直下雨,雨很大,途中几次躲雨,时间不再,只得恋恋不舍地赶到饭店。中饭后立即启程前往机场。此时天色已放晴,一片阳光,真怀疑上午下过大雨。也怪上帝与我们作对,让我们累计参观两天中有一天全在大雨中。

在车中与导游郑玉茗合影。郑导为女性,40 岁左右。个子矮小,戴眼镜,皮肤较黑,短发,讲一口带港台味的普通话。自我介绍台湾人,到巴黎读书后留巴黎工作。干导游时间应该不短,这次我们从法国出来后一直由她导游。郑导对工作十分敬业,生怕我们参观景点太少,带着我们在各国各城市的大街小巷中急急穿行,步履极快,直走得本团许多大老爷们叫苦不迭,甚至不愿再走。脑中记忆了诸多国家的历史、地理、人物、景点的由来等等。在车中及时讲解,不厌其烦地回答每个人不断重复的同一问题。也许是职业的需要和锻炼,攀谈中知她也喜欢人文科学及艺术,因此经常问她许多参观中的问题,这本日记中不少知识就是由她介绍而得知。十分欣赏她的敬业和干练,与其合影一张,以资纪念。

到机场后急急进大厅排队办理登机换票手续。因时间尚早,办理尚未开始,便外出拍下罗马机场有代表意义的喷泉、有欧共体与罗马国旗为背景的机场外景。因飞机晚点,8:25才登机,仍然是波音747大飞机。飞机上人很多,不少温州来此打工的,拖儿带女,十分嘈杂。上机后又发现有人未检票,耽误一些时间,至9时后终于起飞。

再见了,美丽的欧洲!

11月27日(周四)　京一渝:晴

在机上昏沉沉睡了几个小时。按北京时间计算,昨晚应为夜里3时后起飞,经9个多小时飞行,今天中午1:40抵京。出舱已过下午两点,当即买了返渝机票,下午3:25再登机,6:09抵渝,欧洲之行结束。

后　记

　　集结这本小书本是个人心愿，然心愿的实现却因了大家的支持和帮助，这其中既包括我的领导和同仁，更有我的朋友和亲人。在这里我谨向所有使这本小书得以印出而给予支持和帮助并付出劳动的人们表示最诚挚的感谢。

　　最后还要特别提到三个人。一个是我的好友唐玉莲女士，她是我学美术时的同学，又懂印刷知识。听说我正着手编辑这本书，立即提出为我设计封面，给我许多专业方面的指导。其间触动了我的灵感，我又自己动手画了封面和扉页插图。玉莲则在繁忙的工作之余挤时间帮我进行照片扫描和处理，来回奔跑制作好胶片，并为我完成了封面、扉页和封底的各种电脑设计与合成。另一个是我的丈夫，在我写作和设计时都给予全力支持，承担了全部家务。最后是我的儿子，他是我集结这本书的最积极支持者，同时又是书中陆游诗的题字者。正因为有他们的支持与参与，才使这本小书能按照自己的心愿装帧，使之更臻完美。书成之时，我真诚地向我所有的朋友和亲人们再道一声：谢谢了，我亲爱的人们！

黄旬

2005.1.10

再版后记

　　本书内容与第一次印出时已有较大变动，原书后记中提到的事有必要作些说明。原书虽为自印，但其设计、装帧还是美观而规范的。原书分为三大部分：第一部分为我的诗文、书信等，集为《心香集》；第二部分为我旅欧及国内部分记游，集为《游记》；第三部分为父亲的诗文，集为《南楼诗稿》。每一部分设计都有一个小封面以相对独立，儿子的题字就在小封面上。又因原书初衷是父女二人诗文合集，故我画了父女二人相倚的画图作封面。此次出版因重点与里儿有关，故全书的编排都有变化，原书的设计也已不用。虽如此，对友人的感谢却是拳拳在心的。而自己的拙画，确实不舍。不因画好，只因其寄托了太多父女深情。得编辑支持，仍将此画插入文中。

黄旬

2010 年初夏